500 EXERCICES
de GRAMMAIRE

D0291441

André VULIN
inspecteur d'académie

LAROUSSE

21, rue du Montparnasse 75283 Paris Cedex 06

Directrice du département
Dictionnaires et Encyclopédies
Carine Girac-Marinier

Direction éditoriale
Claude Nimmo

Édition
Catherine Boulègue

Informatique éditoriale
Marion Pépin ; Philippe Cazabet

Direction artistique
Uli Meindl

Conception graphique et réalisation
Sophie Rivoire

Lecture-correction
Élisabeth Le Saux

Fabrication
Marlène Delbeken

L'éditeur remercie Pierre Michonneau
pour ses précieuses remarques.

ISBN 978-2-03-590380-8

Avant-propos

Cet ouvrage présente – clairement et simplement – l'ensemble des notions grammaticales qu'un élève d'école primaire doit maîtriser pour aborder dans les meilleures conditions son entrée en 6ᵉ.

Il propose une approche progressive, idéale pour aider l'enfant à mémoriser les notions étudiées, à réviser ses connaissances et à surmonter toutes les difficultés.

66 fiches pour réviser et s'entraîner

Les **66 fiches**, réparties en **quatre parties**, suivent le programme scolaire des trois classes : CE2, CM1 et CM2. On trouvera d'ailleurs, dans le sommaire figurant en tête des différentes parties, l'indication, pour chaque fiche, du niveau (1, 2 ou 3) correspondant à la progression des élèves.

Toutes les fiches se présentent sous une forme identique : à gauche, la **leçon**, à droite, les **QCM** pour s'entraîner.

Chaque leçon est rythmée en trois points :

JE RETIENS : l'énoncé des règles accompagné d'exemples.

JE PROGRESSE : les astuces pour mémoriser les règles ; les pièges à éviter.

POUR EN SAVOIR PLUS : les points particuliers ou les difficultés.

Chaque leçon est complétée par des QCM qui permettent à l'élève de tester ses connaissances sous une forme rapide et ludique.

Les corrigés des QCM, précis et détaillés, apportent les commentaires nécessaires à la compréhension et à la mémorisation des notions, tout en mettant l'accent sur les erreurs à ne pas commettre.

Un trait d'union entre l'école et la maison

Cet ouvrage de référence pourra être utilisé par l'enfant de façon autonome. Il lui apprendra à identifier la nature et la fonction des mots, à ordonner les groupes de mots et à les accorder correctement. Ainsi progressera-t-il dans sa maîtrise des règles grammaticales et dans sa capacité à s'exprimer clairement en toute confiance.

L'ÉDITEUR

Sommaire

1. LA NATURE DES MOTS

2. LA PHRASE ET LE VERBE

Sommaire

1. LA NATURE DES MOTS

1 — Identifier les mots

JE RETIENS

- Un **mot** est un ensemble de lettres qui veut dire quelque chose. Une **phrase** est constituée d'un ensemble de **mots** qui, placés dans un certain **ordre**, lui donnent un sens.

- Les mots ont des **natures grammaticales** différentes. Certains sont **variables** : les noms, les pronoms, les déterminants, les adjectifs ; on dit qu'ils s'accordent. D'autres sont **invariables** : les adverbes, les prépositions, etc. D'autres, enfin, **se conjuguen**t : les verbes.

- À l'écrit, la phrase commence toujours par une **majuscule** et se termine par un **point**. Entre les mots, il peut y avoir des **signes de ponctuation**.

- Pour construire une phrase qui veut dire quelque chose, il faut placer les mots dans le **bon ordre**.

  traverser pour en sécurité toute, passages il faut protégés emprunter les
  → *Pour traverser en toute sécurité, il faut emprunter les passages protégés.*

JE PROGRESSE

- À l'oral, la dernière consonne d'un mot se prononce parfois avec la première voyelle du suivant : on dit qu'on fait la **liaison**. À l'écrit, en cas de doute, il faut essayer de remplacer un mot par un autre.

  Elle réussit␣un␣exploit.   *Elle a réussi une prouesse.*

- L'**apostrophe** est un petit signe (') remplaçant la voyelle à la fin de certains mots – généralement courts – placés devant un autre mot commençant par une **voyelle** ou un **h muet**.

  Il s'est installé à l'abri sous l'auvent.   *Tu peux rester à l'hôtel jusqu'à midi.*

POUR EN SAVOIR PLUS

- La liaison avec un mot terminé par s ou x se prononce [z]. La liaison avec un mot terminé par d se prononce [t].

  Quand (t) il est sous (z) un parapluie, Tom se sent (t) à l'abri.

- Lorsque le second mot débute par un h aspiré, il n'y a pas d'apostrophe et pas de liaison au pluriel.

  le hibou → les hiboux   *la housse → les housses*

REMARQUE Dans un dictionnaire, les mots débutant par un **h aspiré** sont signalés à l'aide d'un astérisque (*).

1) Dans cette liste, quel groupe de lettres n'est pas un mot ?

grillage – grlts – galop – gâteaux

A. ☐ grillage   B. ☑ grlts   C. ☐ galop   D. ☐ gâteaux

2) Combien y a-t-il de mots dans cette phrase ?

Un bon bijoutier voit tout de suite les défauts que présente un diamant.

A. ☐ 10   B. ☐ 11   C. ☐ 12   D. ☑ 13

3) Sépare les mots de cette phrase et indique leur nombre.

Lafablenousapprendquelechêneestplusfragilequeleroseau.

A. ☐ 10   B. ☐ 11   C. ☐ 12   D. ☑ 13

4) Sépare les mots de cette phrase et indique leur nombre.

Ladescenteenchutelibreparaîtinterminableauparachutiste.

A. ☐ 8   B. ☑ 9   C. ☐ 10   D. ☐ 11

5) Combien y a-t-il de liaisons dans cette phrase ?

Il serait absurde de chercher une aiguille dans une meule de foin.

A. ☐ 1   B. ☐ 2   C. ☑ 3   D. ☐ 4

6) Combien y a-t-il de liaisons dans cette phrase ?

Quand on est assis près de la scène, on aperçoit mieux tous les acteurs.

A. ☐ 3   B. ☑ 4   C. ☐ 5   D. ☐ 6

7) Combien d'apostrophes ont été oubliées dans cette phrase ?

Je ai fait signe au conducteur de le autobus pour que il se grrête.

A. ☐ 1   B. ☐ 2   C. ☐ 3   D. ☑ 4

8) Combien d'apostrophes ont été oubliées dans cette phrase ?

En appuyant sur la icône à droite de le écran, je agrandis la page de accueil.

A. ☐ 2   B. ☐ 3   C. ☑ 4   D. ☐ 5

corrigé page 62

2 | Les noms communs

JE RETIENS

Le **nom commun** désigne un être, un objet, une idée, une action, un sentiment, un lieu en général ; il débute par une **lettre minuscule**.

● Les **noms concrets** désignent des êtres ou des choses que nos sens (vue, odorat, ouïe…) distinguent.

[é] arbustes

un homme – un éléphant – un téléphone – une haie – un tableau

● Les **noms abstraits** désignent des actions, des états, des idées, des relations, des notions.

friendship

une course – la fatigue – la peur – une amitié – la chaleur

● Un nom commun est appelé « **nom collectif** » quand il désigne non pas un seul être ou une seule chose, mais un ensemble d'êtres ou de choses.

une foule – un troupeau – une meute – un groupe – une équipe

crowd   flock   pack

JE PROGRESSE

Certains **noms concrets** peuvent prendre un **sens abstrait**.

avoir mal à la main   donner un coup de main
la clé du portail   la clé du problème

Inversement, un **nom abstrait** peut prendre un **sens concret**.

parler avec douceur (moderation) *déguster des douceurs*
passer une commande   les commandes de la voiture

POUR EN SAVOIR PLUS

D'autres mots peuvent être **employés comme noms** ; on dit alors qu'ils sont **substantivés**.

▸ **adjectifs** : *un bleu – un marron – une ronde*
▸ **pronoms** : *le moi – le ça – l'autre – les nuls*
▸ **infinitifs** : *le coucher – le lever – le lancer*
▸ **participes passés** : *un blessé – le roussi – une fondue*
▸ **participes présents** : *le tranchant – un perdant – un mendiant*
▸ **prépositions** : *le pour et le contre – le devant – le derrière*
▸ **adverbes** : *le bien – un tout – un oui – un non*
▸ **onomatopées** : *un coucou – un grand boum – un cocorico*
▸ **sigles** : *une BD – un BTS – un PV – un SMS*

JE M'ENTRAÎNE

1) Quel est le seul nom de cette liste ?

feuille – brusque – calculer – sûrement

A. ☑ feuille B. ☐ brusque C. ☐ calculer D. ☐ sûrement

abrupt

2) Quel est le nom dans cette phrase ?

Les tenailles sont rouillées ; on ne pourra pas s'en servir.

A. ☑ tenailles B. ☐ rouillées C. ☐ pourra D. ☐ servir

3) Quels sont les noms dans cette phrase ?

Comme la sonnette ne fonctionne pas, je frappe rapidement à la porte.

A. ☐ comme / frappe B. ☑ sonnette / porte
C. ☐ fonctionne / rapidement D. ☐ frappe / porte

4) Quel est le seul nom concret de cette liste ?

une histoire – un haricot – un honneur – une hiérarchie

A. ☐ une histoire B. ☑ un haricot
C. ☐ un honneur D. ☐ une hiérarchie

5) Quel est le seul nom collectif de cette liste ?

un laurier – un lingot – une collection – un four

A. ☐ un laurier B. ☐ un lingot C. ☑ une collection D. ☐ un four

bay leaf *barra*

6) Quel est le seul nom abstrait de cette liste ?

une assiette – un caribou – la bergerie – la jeunesse

A. ☐ une assiette B. ☐ un caribou C. ☐ la bergerie D. ☑ la jeunesse

reindeer

7) Combien y a-t-il de noms dans cette phrase ?

Les panneaux de signalisation sont peu nombreux le long des chemins.

A. ☐ 3 B. ☑ 4 C. ☐ 5 D. ☐ 6

8) Combien y a-t-il de noms dans cette phrase ?

L'employé déplace le curseur sur l'écran de l'ordinateur à l'aide de la souris.

A. ☐ 3 B. ☐ 4 C. ☐ 5 D. ☑ 6

3   Les noms propres

- Le **nom propre** désigne un être ou une chose en particulier :
  - ▸ une **personne** ou un **animal** : *Maxence – Tintin et Milou*
  - ▸ une **ville**, un **fleuve** : *Bordeaux – la Garonne*
  - ▸ un **peuple**, des **montagnes** : *les Anglais – les Pyrénées*
  - ▸ une **période historique**, un **monument** : *la Libération – les Invalides*
  - ▸ une **planète**, une **marque** : *Mars – une Ferrari*
- Le **nom propre** débute toujours par une **lettre majuscule** ; il peut être précédé d'un déterminant sans majuscule.

JE PROGRESSE

- Les **noms propres d'habitants** varient en genre et en nombre.

    un Espagnol – une Espagnole – les Espagnols – les Espagnoles

- Il ne faut pas confondre le nom propre des habitants et le **nom commun** désignant la **langue**.

    Les Russes écrivent le russe à l'aide de l'alphabet cyrillique.

    ATTENTION L'adjectif qualificatif qui indique la nationalité ne prend pas de majuscule lorsqu'il accompagne un nom.

    Les Américains forment le peuple américain.

- Les noms des **jours** de la semaine et des **mois** ne sont pas des noms propres ; **ils ne prennent pas de majuscule**.

    Nous partirons en vacances le dernier samedi du mois de juin.

    ATTENTION Pour une date historique, on met une majuscule puisqu'il s'agit d'un jour ou d'un mois particulier.

    le Mardi gras – le Vendredi saint – le 14 Juillet

POUR EN SAVOIR PLUS

- Un nom propre est parfois employé comme nom commun.

    Le brie est un fromage originaire de la région de la Brie.

- Il ne faut pas oublier les **accents** sur les lettres majuscules des noms propres.

    l'Écosse – le Moyen Âge – Édouard – le massif des Écrins

- Beaucoup de **noms de famille** trouvent leur origine dans la désignation d'un trait physique, d'une profession, d'un lieu d'habitation…

    Leroux – Petit – Boiteux – Marchand – Charpentier – Dupont – Lacombe

1) **Quels noms complètent la phrase ?**

... Ier fut le ... de 1830 à 1848.

A. ☑ Louis-Philippe / roi des Français B. ❑ Louis-Philippe / Roi des français

C. ❑ louis-phillipe / roi des français D. ❑ Louis-philippe / Roi des Français

2) **Quels noms complètent la phrase ?**

C'est le ... qui imposa l'usage de la ... pour les déchets ménagers.

A. ❑ Préfet Poubelle / Poubelle B. ❑ Préfet poubelle / poubelle

C. ☑ préfet Poubelle / poubelle D. ❑ préfet poubelle / Poubelle

3) **Complète la phrase avec les noms qui conviennent.**

Au ..., as-tu déjà assisté à une partie de ... ?

A. ❑ pays Basque / pelote Basque B. ❑ Pays Basque / Pelote Basque

C. ❑ pays basque / Pelote basque D. ☑ Pays basque / pelote basque

4) **Quels noms complètent la phrase ?**

Le ... devint le premier des ... .

A. ❑ Duc hugues Capet / Rois Capétiens B. ☑ duc Hugues Capet / rois capétiens

C. ❑ Duc Hugues Capet / rois Capétiens D. ❑ duc Hugues capet / Rois capétiens

5) **Complète la phrase avec les noms qui conviennent.**

Rencontre-t-on encore des chevaux ... dans les plaines des ... ?

A. ❑ Ardennais / Ardennes B. ❑ ardennais / ardennes

C. ❑ Ardennais / ardennes D. ☑ ardennais / Ardennes

6) **Complète la phrase avec les noms qui conviennent.**

Les habitants de ... sont fiers de leur fromage : le ... .

A. ☑ Roquefort / roquefort B. ❑ Roquefort / Roquefort

C. ❑ roquefort / roquefort D. ❑ roquefort / Roquefort

7) **Complète la phrase avec les noms qui conviennent.**

L'... est évidemment parlé en ..., mais aussi en ... .

→ langue

→ pays

A. ❑ Allemand / Allemagne / autriche B. ☑ allemand / Allemagne / Autriche

C. ❑ Allemand / Allemagne / Autriche D. ❑ allemand / Allemagne / autriche

8) **Quel nom propre peut correspondre à ce nom commun : « un monument » ?**

A. ❑ la Toussaint B. ❑ la Corse C. ☑ le Louvre D. ❑ la Restauration

1. LA NATURE DES MOTS

corrigé page 62

JE RETIENS

- Tous les noms ont un **genre, masculin** ou **féminin**, souvent indiqué par les déterminants qui les précèdent.

  un acteur – un fauteuil – le regard – un remords – le silence

  une girafe – une lampe – une descente – la liberté – une réflexion

- Il est indispensable de connaître le genre d'un nom pour **effectuer les accords** dans une phrase. En cas de doute, il faut consulter un dictionnaire.

JE PROGRESSE

- On forme généralement le **féminin des noms d'êtres animés** en ajoutant un e au nom masculin.

  un ami → *une amie*   *un étudiant* → *une étudiante*

- Cependant, la terminaison du nom masculin est quelquefois modifiée.

  un cuisinier → *une cuisinière*   *un citoyen* → *une citoyenne*

  un directeur → *une directrice*   *un nageur* → *une nageuse*

  un sportif → *une sportive*   *un peureux* → *une peureuse*

  un sot → *une sotte*   *un âne* → *une ânesse*

- Parfois, le nom féminin est tout à fait différent du nom masculin.

  un fils → *une fille*   *un oncle* → *une tante*

  REMARQUE En général, les **noms d'êtres animés** (humains ou animaux) sont du genre (masculin ou féminin) correspondant au sexe, mais certains peuvent désigner un homme ou une femme.

  une sentinelle – une brute – une victime

  un mannequin – un cordon-bleu – un témoin

POUR EN SAVOIR PLUS

- Le **féminin** de certains noms peut avoir un **sens différent** de celui du nom masculin ; dans ce cas, le féminin ne désigne pas un être animé.

  un portier : un employé qui se tient à l'entrée d'un établissement

  une portière : une porte d'un véhicule automobile

- Certains noms ont les **deux genres** ; c'est le **déterminant** qui permet de les distinguer.

  un acrobate / une acrobate   *un camarade / une camarade*

- Certains noms peuvent avoir des sens différents, selon le genre.

  un poêle (à mazout) / *une poêle* (à frire)

  un tour (de manège) / *une tour* (de château)

1) Complète la phrase avec le nom féminin qui convient.

Cette ... a obtenu un prix littéraire.

A. ☐ romancienne   B. ☐ romantrice   C. ☐ romanceuse   D. ☑ romanc**ière**

romancier

2) Quel est le nom qui n'a pas d'équivalent féminin ?

un skieur – un moteur – un coiffeur – un moniteur

A. ☐ un skieur   B. ☑ un moteur   C. ☐ un coiffeur   D. ☐ un moniteur
skieuse   *coiffeuse*   *monitrice*

3) Quel est le seul nom masculin ?

globule – rotule – pilule – gélule

A. ☑ globule   B. ☐ rotule   C. ☐ pilule   D. ☐ gélule
mas.   *(kneecap)*   *capsule*

4) Quel est le seul nom féminin ?

mixeur – labeur – tendeur – torpeur

A. ☐ mixeur   B. ☐ labeur   C. ☐ tendeur   D. ☑ torpeur

5) Complète la phrase avec le nom féminin qui convient.

La ... exécute une triple boucle piquée.

A. ☐ patinière   B. ☐ patinoire   C. ☑ patineuse   D. ☐ patinette
                   (ice rink)   *patineur*   *(scooter)*

6) Quelle est la syllabe finale commune à ces noms féminins ?

une éduca... – une décora... – une lec... – une traduc...

A. ☐ -teuse   B. ☑ -trice   C. ☐ -tienne   D. ☐ -tière

7) Quel est le seul nom qui n'a pas d'équivalent masculin ?

une étrangère – une ouvrière – une lingère – une passagère

A. ☐ une étrangère   B. ☐ une ouvrière *(ouvrier)* Workman

C. ☑ une lingère *linen maid*   D. ☐ une passagère *(passager)*
fem.

8) Complète la phrase avec le nom féminin qui convient.

L'empereur et ... vivent dans un magnifique palais.

A. ☑ l'impératrice   B. ☐ l'empératrice

C. ☐ l'empereuse   D. ☐ l'empérateuse

corrigé page 63

JE RETIENS

● En règle générale, on forme le **pluriel** des noms **en ajoutant un** s au nom singulier ; ce s ne se prononce pas, excepté lorsqu'on fait la liaison entre les mots.
des matins – des pantalons – les racines – les valeurs

● Pour les **noms terminés** par -**eu**, -**eau**, -**au** au singulier, on ajoute un x (qui ne se prononce pas).
les cheveux – des jeux – des barreaux – des tuyaux
EXCEPTIONS *des bleus – des landaus – des lieus (= les poissons) – des pneus*

● Les **noms terminés par** s, x ou z au singulier ne changent pas au pluriel.
un matelas → des matelas   un prix → des prix   un nez → des nez
mattress   [né]

JE PROGRESSE

● Les noms en -**ou** prennent un s au pluriel (attention aux exceptions).
des bambous – des écrous – des trous – des verrous
EXCEPTIONS *des bijoux – des cailloux – des choux – des genoux – des hiboux – des joujoux – des poux*

● Les noms en -**al** s'écrivent le plus souvent -aux au pluriel.
des animaux – des journaux – des métaux – des signaux
PRINCIPALES EXCEPTIONS *des bals – des carnavals – des chacals – des étals – des festivals – des récitals – des régals*

● Les noms en -**ail** s'écrivent le plus souvent -**ails** au pluriel.
des détails – des gouvernails – des portails – des rails
PRINCIPALES EXCEPTIONS *des baux – des coraux – des émaux – des soupiraux – des travaux – des vitraux*

● Quelques noms ont une forme différente au singulier et au pluriel :
un œil → des yeux   le ciel → les cieux

POUR EN SAVOIR PLUS

● Certains noms ne s'emploient **qu'au singulier**.
le bétail – la botanique – le devenir – le nord – le vrai...

● D'autres ne s'emploient **qu'au pluriel**.
les broussailles – les entrailles – les funérailles – les ténèbres...

● Au pluriel, certains noms peuvent avoir un **sens différent** de celui du singulier.
une menotte : une petite main
des menottes : des bracelets munis d'une serrure

1) **Quel est le pluriel de ce nom ?**

un épouvantail *(scarecrow)*

A. ❑ des épouvantaux   B. ☑ des épouvantails

C. ❑ des épouvantaus   D. ❑ des épouvanteaux

2) **Complète la phrase avec les noms correctement orthographiés.**

Devant les ..., les ... ont fait des ... complets.

A. ❑ gendarme / voleur / aveu   B. ❑ gendarmes / voleurs / aveus

C. ☑ gendarmes / voleurs / aveux   D. ❑ gendarmes / voleux / aveus

whose/which   confession

3) **Quel est le nom dont l'orthographe est incorrecte ?**

A. ☑ un remous   B. ❑ un cachou   C. ❑ un coucou   D. ❑ un clou naïf

4) **Complète la phrase avec les noms correctement orthographiés.**

Le ... du ... est plus élevé que celui du ... .

A. ❑ pris / choux / radix   B. ☑ prix / chou / radis *(radish)*

C. ❑ prix / chous / radi   D. ❑ prie / choue / radie

5) **Quel est le nom correctement orthographié au pluriel ?**

A. ☑ des narvals   B. ❑ des radicals   C. ❑ des végétals   D. ❑ des canals *(channel)*

radicales   végétaux   canaux

6) **Complète la phrase avec les noms correctement orthographiés.**

Les ... de la voiture grincent ; les ... vont les graisser.

A. ❑ essieus / ouvrier   B. ❑ essieils / ouvriers

C. ❑ essails / ouvrièrs   D. ☑ essieux / ouvriers

7) **Complète la phrase avec les noms correctement orthographiés.**

Dans les ... du Moyen Âge, les ... récitaient des ... .

A. ❑ châteaus / trouvère / fabliaus   B. ❑ châteaux / trouvères / fablials

C. ❑ château / trouvères / fabliaus   D. ☑ châteaux / trouvères / fabliaux

8) **Complète la phrase avec les noms correctement orthographiés.**

Les deux ... terminent le combat avec d'énormes ... autour des ... .

A. ❑ boxeurs / bleux / oeils   B. ☑ boxeurs / bleus / yeux

C. ❑ boxeur / bleus / oeil   D. ❑ boxeur / bleues / yeus

corrigé page 63

1. LA NATURE DES MOTS

6 — Les noms composés

JE RETIENS

plus d'un.

- Les **noms composés** sont constitués de plusieurs mots :
  ▸ **deux noms** : *une auto-école – un camion-citerne – un chou-fleur*
  ▸ un **nom** et un **adjectif** : *une bande dessinée – un blue-jean – un coffre-fort*
  ▸ un **verbe** et un **nom** : *un casse-noix – un chasse-neige – un gratte-ciel*
  ▸ deux **noms** reliés par une **préposition** : *un coup d'œil – un propre-à-rien – un rez-de-chaussée – un tête-à-queue*
- Les mots sont souvent reliés par un **trait d'union**. → *hyphen*
  un hors-la-loi – un lave-vaisselle – un portrait-robot
  ▸ Parfois, ils sont simplement **juxtaposés**, sans trait d'union.
  un point de vue – la pomme d'Adam – une résidence secondaire
  ▸ Parfois, ils sont soudés et forment **un seul mot**.
  une autoroute – un biocarburant – un portemanteau – un vélomoteur

JE PROGRESSE

- Dans les noms composés, **seuls les noms** et **les adjectifs** prennent la marque du **pluriel**, si le sens le permet.
  des rouges-gorges – des sapeurs-pompiers – des hommes-grenouilles
- Si les noms composés sont formés d'**un nom** et de son complément introduit par une préposition, seul le **premier nom** prend la marque du **pluriel**.
  des arcs-en-ciel – des trompettes-de-la-mort
- Dans les noms composés, les **verbes** et les **mots invariables ne prennent pas la marque du pluriel**.
  des savoir-faire – des on-dit – des touche-à-tout – des passe-partout
- Parfois, le sens impose le **pluriel au second mot**, même au singulier.
  un mille-pattes – un vide-ordures – un porte-avions
- Enfin, beaucoup de noms composés sont **invariables**.
  des tête-à-tête – des trompe-l'œil – des va-et-vient

  REMARQUE Les modifications de l'orthographe de 1990 donnent souvent le choix entre deux orthographes (*voir pages 186-187*).

POUR EN SAVOIR PLUS

Certains noms composés soudés ont conservé les formes du pluriel de chacun des deux mots.

madame → mesdames	un bonhomme → des bonshommes
monsieur → messieurs	un gentilhomme → des gentilshommes

1) Quelle est l'orthographe correcte de ce nom composé ?

→prép.

A. ☑ des crocs-en-jambe   B. ❑ des croc-en-jambes

C. ❑ des crocs-en-jambes   D. ❑ des croc-en-jambe

2) Quelle est l'orthographe correcte de ce nom composé ?   (2 verbes)

A. ❑ des poussent-poussent   B. ☑ des pousse-pousse

C. ❑ des pousses-pousse   D. ❑ des pousse-pousses

3) Quelle est l'orthographe correcte de ce nom composé ?   2 (noms)

A. ❑ des tiroir-caisse   B. ☑ des tiroirs-caisses

C. ❑ des tiroirs-caisse   D. ❑ des tiroir-caisses

4) Complète la phrase avec le nom composé correctement orthographié.

Avec ce compas, on trace des ... parfaits.

A. ❑ demis-cercles   B. ❑ demi-cercle

C. ☑ demi-cercles   D. ❑ demis-cercle

5) Complète la phrase avec le nom composé correctement orthographié.

Vous trouverez des ... en plastique au rayon des fournitures scolaires.

A. ☑ protège-cahiers   1ᵉʳ word is a → verb.

B. ❑ protèges-cahiers

C. ❑ protège-cahier   D. ❑ protèges-cahier

6) Complète la phrase avec le nom composé correctement orthographié.

Lors de la revue, tous les soldats sont au ... . →Verbe

A. ❑ gardes-à-vous   B. ☑ gardé-à-vous

C. ❑ gardent-à-vous   D. ❑ garde-a-vous

7) Complète la phrase avec les noms composés correctement orthographiés.

Les ... ont été provoqués par des ... trop puissants.

A ❑ court-circuits / électros-aimants   B. ❑ courts-circuit / électro-aimant

C. ☑ courts-circuits / électro-aimants   D. ❑ courts-circuits / électros-aimant
(adj. / nom)   invariable + nom

8) Complète la phrase avec les noms composés correctement orthographiés.

En été, les prairies se couvrent de ... et de ... .

A. ❑ reines-marguerite / boutons-d'ors   B. ❑ reine-marguerites / bouton-d'or

C. ❑ reine-marguerite / bouton-d'or   D. ☑ reines-marguerites / boutons-d'or
2 noms   compl + prép.
4(s)

corrigé page 64

JE RETIENS

Le nom s'emploie rarement seul : il est généralement précédé d'un déterminant. Les **articles** sont les principaux **déterminants**.

▸ L'**article défini** indique que le nom est pris dans un sens bien précis.
le placard – la cuisine – l'espoir – les camions – les touches

▸ L'**article indéfini** indique que le nom désigné est présenté comme un nom parmi d'autres.
un placard – une cuisine – un espoir – des camions – des touches

▸ L'**article partitif** indique que l'on ne considère qu'une partie d'un tout, une quantité indéterminée.
du pain – de la vigueur – de l'huile

JE PROGRESSE

● Les articles pluriels *les* et *des* ne permettent pas de distinguer le genre.

● Les articles *le* et *la* s'élident devant un nom commençant par une **voyelle** ou un **h muet** : la voyelle est remplacée par une **apostrophe**.
l'éclair – l'usine – l'hôpital – l'horloge

● Les **articles définis** peuvent avoir une **forme contractée** (réunion d'une préposition et de l'article).
Je vais au (= à le) stade pour m'entraîner.   à le - au
Nous dégustons une tarte aux (= à les) pommes.   à les - aux
Pascal atterrit dans le sable du (= de le) sautoir.   de le - du
Les bananes nous arrivent des (= de les) régions tropicales. de les - des

● Lorsqu'un adjectif qualificatif est intercalé entre l'article indéfini pluriel et le nom, on remplace parfois *des* par *de*.
de beaux vêtements – de petites bagues

● Lorsque l'article est employé devant le premier nom d'une série, il doit l'être aussi devant chacun des autres.   ▸ each
La patience, la prudence et la volonté sont des qualités importantes.

Mais l'article ne se répète pas quand le second nom est l'explication du premier.
Le voisin et ami de M. Robert va déménager prochainement.

POUR EN SAVOIR PLUS

Il ne faut pas confondre les **articles définis**, qui se trouvent **devant les noms**, et les **pronoms personnels compléments**, qui se trouvent **devant les verbes** (*voir fiche 18*).
Le linge est froissé ; il faudra le repasser.
   art. défini   pron. pers. complément

masculin ?not
poole ?net
sing/plu

1) **Quel article complète la phrase ?**

Nelly répond rapidement ... SMS qu'elle reçoit.

A. ☑ aux   B. ❑ à les   C. ❑ des   D. ❑ du

2) **Quel est l'article indéfini de cette phrase ?**

Les services de la météo prévoient une amélioration du temps.

A. ❑ les   B. ❑ la   C. ☑ une   D. ❑ du

3) **Quels articles complètent correctement la phrase ?**

... rayons ... soleil dissipent ... dernière nappe de brouillard.

A. ❑ Des / au / les   B. ☑ Les / du / la

C. ❑ Les / de le / à la   D. ❑ Aux / du / une

4) **Quel est l'article défini de cette phrase ?**

Des techniciens détectent une panne grâce aux indications d'un ordinateur.

A. ❑ Des   B. ❑ une   C. ☑ aux *(à les)*   D. ❑ un

5) **Quel article partitif complète la phrase ?**

sing/masc.

À la fin de la recette, il est indiqué que l'on peut ajouter ... citron.

A. ❑ au   B. ☑ du   C. ❑ les   D. ❑ des

6) **Quels articles complètent correctement la phrase ?**

Si ... brocanteur baisse ... prix, ... acheteurs emporteront ... merveilles !

A. ☑ le / les / les / des   B. ☑ un / aux / des/ les

C. ❑ le / du / aux / des   D. ❑ les / le / des / des

7) **Quels articles complètent correctement la phrase ?**

... installation de ... tente sur ... emplacement prévu ne gênera pas

... autres campeurs.

A. ❑ La / la / le / les   B. ☑ L' / la / l' / les

C. ❑ Le / la / au / des   D. ❑ Une / une / un / aux

8) **Dans cette phrase, quel mot n'est pas un article ?**

Le directeur attend une lettre ; un facteur la lui remet.

A. ❑ Le   B. ❑ une   C. ❑ un   D. ☑ la

1. LA NATURE DES MOTS

JE RETIENS

● Les **déterminants possessifs** indiquent le lien de **possession**, ou la **relation**, qui unit une personne à un objet ou à une autre personne ; ils précèdent toujours le nom (ou le groupe nominal).

● Ils **varient** avec le genre et le nombre de l'être ou de l'objet possédé, ainsi qu'avec la personne du possesseur.

Je corrige mes erreurs.   As-tu pris ton petit déjeuner ?
Il a cherché sa clé. →fém.   Les spectateurs encouragent leur équipe.

personne et genre	un possesseur		plusieurs possesseurs	
	un être ou un objet	plusieurs êtres ou objets	un être ou un objet	plusieurs êtres ou objets
1re pers. masculin	mon chat	mes chats	notre chat	nos chats
féminin	ma chaussure	mes chaussures	notre chaussure	nos chaussures
2e pers. masculin	ton chat	tes chats	votre chat	vos chats
féminin	ta chaussure	tes chaussures	votre chaussure	vos chaussures
3e pers. masculin	son chat	ses chats	leur chat	leurs chats
féminin	sa chaussure	ses chaussures	leur chaussure	leurs chaussures

JE PROGRESSE

● Devant les noms ou adjectifs qualificatifs féminins débutant par une **voyelle** ou un **h muet**, on emploie mon, ton, son à la place des déterminants féminins.

mon expérience – ton allure – son observation – ton abondante chevelure

● On emploie l'**article défini au lieu du déterminant possessif** quand il ne peut y avoir aucun doute sur le possesseur. Employer un déterminant possessif dans ce cas est une erreur.

J'ai mal à la (~~ma~~) tête.

● On **ne répète pas** le déterminant possessif devant deux adjectifs qualificatifs qui se rapportent au même être.

Napoléon Ier appréciait ses fidèles et courageux soldats.

POUR EN SAVOIR PLUS

Il ne faut pas confondre le **déterminant possessif** leur, qui peut prendre la marque du pluriel (leurs), avec le **pronom personnel** leur (que l'on peut remplacer par lui), qui reste invariable.

Vos amis ont oublié leurs gants ; vous leur (= lui) en prêterez une paire.

1) Complète la phrase avec le déterminant possessif qui convient.

Dans un pays libre, chacun a le droit d'exprimer ... opinion. (fem.)

A. ☐ ta   B. ☐ sa   C. ☑ son   D. ☐ vos
   tu   elle   il   vous

2) Complète la phrase avec le déterminant possessif qui convient.

Cette énigme a piqué ... curiosité et tu réfléchis.

A. ☑ ta   B. ☐ ton   C. ☐ tes   D. ☐ son

3) Complète la phrase avec les déterminants possessifs qui conviennent. _godmother_

Natacha a perdu ... boucles d'oreilles ; c'était un cadeau de ... marraine.

A. ☐ mes / leurs   B. ☐ vos / mon   C. ☐ votre / notre   D. ☑ ses / sa

4) Complète la phrase avec les déterminants possessifs qui conviennent.

Pour payer ... achats, le client sort ... carte bancaire.

A. ☐ mes / ton   B. ☑ ses / sa   C. ☐ leurs / leur   D. ☐ votre / ta

5) Complète la phrase avec le déterminant qui convient.

En jouant au basket, Andy s'est tordu ... cheville. (ankle) fem.

A. ☐ son   B. ☐ sa   C. ☑ la   D. ☐ les

6) Complète la phrase avec les déterminants qui conviennent.

Paolo s'est cassé ... bras ; c'est ... troisième accident.

A. ☑ le / son   B. ☐ son / le   C. ☐ son / ses   D. ☐ le / votre

7) Complète la phrase avec les déterminants possessifs qui conviennent.

Tu places ... feuilles dans ... classeur. _binder (masc.)_

A. ☐ ses / vos   B. ☐ mes / nos   C. ☑ tes / ton   D. ☐ leur / leurs

8) Complète la phrase avec les déterminants possessifs qui conviennent.

Je cherche une excuse pour expliquer ... retard, car ... parents sont inquiets. _for / as / because_

A. ☐ ton / leur   B. ☑ mon / mes   C. ☐ ses / leurs   D. ☐ vos / vos

JE RETIENS

- Les **déterminants démonstratifs** accompagnent un nom désignant un être ou un objet que l'on montre précisément ; ils précèdent toujours le nom.

On les emploie aussi pour désigner un être ou une chose qu'on vient de nommer, ou dont on va parler.

- Ils **s'accordent** en genre et en nombre avec le mot qu'ils précèdent :

▷ **masculin singulier** : *ce* ou *cet*

On emploie *ce* devant un nom (ou un adjectif) débutant par une **consonne** ou un **h aspiré**.

> *Avec ce médicament, tu ne souffriras plus.*   *Ce hamster est gourmand.*

On emploie *cet* devant un nom (ou un adjectif) débutant par une **voyelle** ou un **h muet.**

> *Cet artisan emploie quatre compagnons.*   *Cet haltérophile est très fort.*

▷ **féminin singulier** : *cette*
> *Cette calanque est un site exceptionnel.*

▷ **féminin et masculin pluriels** : *ces*
> *Ces pêches et ces abricots mûrissent au soleil.*

JE PROGRESSE

- Le déterminant démonstratif peut être renforcé par une **particule adverbiale** reliée au nom par un trait d'union :

▷ **-ci** pour marquer la proximité :
> *La vendeuse me recommande ce modèle-ci.*

▷ **-là** pour marquer l'éloignement :
> *Cette veste-là est trop voyante ; je ne l'achèterai pas.*

- Le déterminant démonstratif perd son sens général lorsqu'il indique une **circonstance de temps**.

> *En ce temps-là, les chevaliers portaient une armure.*
> *Nous partirons en vacances un de ces jours.*

POUR EN SAVOIR PLUS

Il ne faut pas confondre les formes homophones *ces* (= **déterminant démonstratif**) et *ses* (= **déterminant possessif**).
Pour les distinguer, on met le nom au singulier.

> *Ces vêtements chauds nous protègent.* ➔ *Ce vêtement chaud nous protège.*
> *Loana a lavé ses pulls.* ➔ *Loana a lavé son pull.*

1) Complète la phrase avec le déterminant démonstratif qui convient.

Si le temps le permet, nous partirons ... soir.

A. ☐ cet   B. ☑ ce   C. ☐ cette   D. ☐ ces

2) Complète la phrase avec les déterminants démonstratifs qui conviennent.

Pour réparer ... commode, faites confiance à ... ébéniste.

A. ☐ sa / ce   B. ☐ cet / ce   C. ☑ cette / cet   D. ☐ ce / cette

3) Complète la phrase avec les déterminants démonstratifs qui conviennent.

Avec ... tenailles, tu arracheras facilement ... clou. (KLU) naïf

A. ☑ ces / ce   B. ☐ ses / ce   C. ☐ cette / ses   D. ☐ ces / ces

4) Complète la phrase avec les déterminants qui conviennent.

marc. sing

... jeune enfant vient de perdre ... premières dents de lait.

A. ☐ Cet / ces   B. ☑ Ce / ses   C. ☐ Cette / ces   D. ☐ Ces / cette

his/her

5) Complète la phrase avec les déterminants démonstratifs qui conviennent.

... imprimante vous délivrera une copie parfaite de ... document.

A. ☐ Cet / ces   B. ☐ Ce / cet   C. ☑ Cette / ce   D. ☐ Ces / ces

6) Complète la phrase avec les groupes nominaux qui conviennent.

... m'a paru beaucoup plus amère que ... .

A. ☐ Cet boisson-là / ces sirop-ci   B. ☐ Ces boissons-ci / ce sirop-là

C. ☐ Ce breuvage-là / cet potion-ci   D. ☑ Cette boisson-ci / ce sirop-là

7) Complète la phrase avec les groupes nominaux qui conviennent.

Si j'ai le choix, j'écouterai ... plutôt que ... .

A. ☑ ce disque-ci / cette chanson-là   B. ☐ cet disque-là / cet chanson-ci

C. ☐ ces disques-là / ces chansons-ci   D. ☐ cet musique-là / cette mélodie-ci

8) Complète la phrase avec les déterminants qui conviennent.

Avec tous ... enfants qui crient autour de Célia,

je ne comprends pas ... paroles.

A. ☐ ses / ses   B. ☐ ces / ces   C. ☐ ses / ces   D. ☑ ces / ses

1. LA NATURE DES MOTS

corrigé page 65

Les déterminants interrogatifs et exclamatifs

JE RETIENS

- Les **déterminants interrogatifs** servent à poser une question.

- Les **déterminants exclamatifs** expriment l'admiration, la surprise, la colère, l'étonnement, etc.

- Les déterminants interrogatifs et exclamatifs ont la **même forme** :
  quel – quelle – quels – quelles

Ils **s'accordent** en genre et en nombre avec le nom (ou le groupe nominal) qu'ils précèdent.

Quel jour es-tu libre ?   *Quelle heure est-il ?*
Quels livres as-tu lus ?   *Quelles robes préférez-vous ?*
Quel gentil garçon !   *Quelle horreur !*
Quels monstres !   *Quelles belles journées !*

JE PROGRESSE

- Lorsque **l'interrogation est directe**, le **sujet** du verbe est **inversé** et la phrase se termine par un **point d'interrogation**.
  Lorsque vous êtes en vacances, quelles activités pratiquez-vous ?
  Dans quelle région peut-on croiser des rennes en liberté ?

- Lorsque **l'interrogation est indirecte**, la phrase dépend d'un verbe comme *demander, ignorer, ne pas savoir*, etc., et se termine par un **point simple**. Il n'y a **pas d'inversion du sujet**.
  M. Ferry se demande quel temps il fait au bord de la Méditerranée.
  J'ignore quelle est cette invention.

- Lorsqu'il s'agit d'une exclamation, la phrase se termine par un **point d'exclamation**.
  Quel temps superbe ! Nous allons en profiter.

- Le déterminant interrogatif ne peut pas se combiner avec d'autres déterminants, excepté *autre*.
  Quelle autre tenue la ballerine pourrait-elle porter ?

POUR EN SAVOIR PLUS

- L'adverbe *combien*, suivi de la préposition *de*, peut être employé comme déterminant interrogatif ou exclamatif.
  Combien de pièces y a-t-il dans ce puzzle ?
  Je sais combien d'efforts vous avez dû faire pour gravir ce col !

1) **Complète la phrase avec le déterminant qui convient.**

Usain Bolt a battu le record du monde du 100 mètres : ... performance !

A. ☐ quel   B. ☐ quelles   C. ☑ quelle   D. ☐ quels

2) **Complète la phrase avec le déterminant qui convient.**

Dans ... traquenard sommes-nous tombés ?

A. ☑ quel   B. ☐ quelle   C. ☐ quels   D. ☐ quelles

masc.

3) **Complète la phrase avec le déterminant qui convient.**

En cas de match nul, ... suspense que l'épreuve des tirs au but !

A. ☐ quelle   B. ☑ quel   C. ☐ quelles   D. ☐ quels

4) **Complète la phrase avec le déterminant qui convient.**

... sont les numéros gagnants de la loterie ?

A. ☐ Quel   B. ☐ Quelle   C. ☑ Quels   D. ☐ Quelles

5) **Complète la phrase avec les déterminants qui conviennent.**

Connais-tu ... gorges ... Tarn ? ... merveilles ! (fem.)

A. ☑ les / du / Quelles   *throat fem.*   B. ☐ des / de / Quelle

C. ☐ les / de / Quels   D. ☐ la / au / Quel

6) **Complète la phrase avec les déterminants qui conviennent.**

... cadeaux vous a-t-on offerts pour ... anniversaire ?

A. ☐ Quels / vos   *sing*   B. ☐ Quelles / ton

C. ☐ Quelle / leur   D. ☑ Quels / votre *sing*

7) **Complète la phrase avec les déterminants qui conviennent.**

Où se trouve ... Malaisie ? ... en est ... capitale ?

A. ☐ le / Quel / la   B. ☐ les / Quels / sa

C. ☑ la / Quelle / la   D. ☐ cet / Quelles / son

8) **Complète la phrase avec les déterminants qui conviennent.**

Je ne sais pas ... outils il faut utiliser pour monter ... étagère.

A. ☐ quel / cet   *tool gadget instrum- (masc.)*   B. ☑ quels / cette

C. ☐ quelle / ce   D. ☐ quelles / ces

corrigé page 66

11 Les déterminants numéraux

JE RETIENS

● Les **déterminants numéraux cardinaux** indiquent une **quantité** précise. Ils se placent devant un nom. On les appelle communément les **nombres**. Ils sont **invariables,** sauf *vingt* et *cent*.

> *quinze mètres – soixante-dix pages – cent vingt jours – deux mille kilos*

● Les **déterminants numéraux ordinaux** indiquent l'**ordre** (le **rang**). Ils sont généralement employés comme adjectifs ; de ce fait, **ils s'accordent** avec les noms qu'ils précèdent.

> *les premiers rangs – les seconds rôles – les sixièmes catégories*

JE PROGRESSE

● *Vingt* et *cent* prennent un s quand ils sont multipliés et non suivis par un autre nombre.

> *Ton grand-père est âgé de quatre-vingts ans, alors que ta grand-mère fête ses quatre-vingt-dix ans.*
>
> *Ce téléphone coûte quatre cents euros, mais celui-ci ne coûte que deux cent cinquante euros.*

● On place un **trait d'union** entre les dizaines et les unités, sauf si elles sont unies par *et*.

> *cinquante-huit litres – soixante et un morceaux*

POUR EN SAVOIR PLUS

● Les **noms** tels que *douzaine, trentaine, soixantaine, centaine, millier, million, milliard* **s'accordent**.

> *Cette salle peut accueillir plusieurs centaines de spectateurs.*

ATTENTION *Mille* et *millier* sont synonymes, mais *mille* est toujours **invariable**.

> *Ce village compte deux mille habitants.*
>
> *Ce village compte deux milliers d'habitants.*

● Les **noms** tels que *moitié, quart, cinquième, dixième, centième, millième,* qui désignent les parties d'un tout, **s'accordent**.

> *Le diamètre partage le cercle en deux moitiés.*
>
> *La crue de la Saône a inondé les trois quarts des bas quartiers de la ville.*
>
> *Le deuxième du slalom est devancé de trois dixièmes de seconde.*

● On utilise *second* si la série envisagée ne comporte que deux éléments, et *deuxième* si elle en comporte au moins trois.

1) **Complète la phrase avec l'écriture correcte du nombre.**

L'année se termine le ... décembre.

A. ☑ trente et un   B. ❑ trentes et un   C. ❑ trente-et-un   D. ❑ trente-un

2) **Complète la phrase avec l'écriture correcte du nombre.**

Ce dictionnaire compte ... pages.

A. ❑ quatre cents soixante-douze   B. ❑ quatre cent soixante et douze

C. ❑ quatre cents soixante-douze   D. ☑ quatre cent soixante-douze   472

3) **Complète la phrase avec l'écriture correcte du nombre.**

... concurrents ont pris le départ du marathon.

A. ❑ Quatres-vingts-cinqs   B. ☑ Quatre-vingt-cinq   85

C. ❑ Quatre-vingts-cinq   D. ❑ Quatres-vingt-cinq

4) **Complète la phrase avec l'écriture correcte du nombre.**

On a vendu ... billets pour le spectacle de danse.

A. ❑ deux milles cinq cent   B. ❑ deux mille cinq cent

C. ☑ deux mille cinq cents   2500   D. ❑ deux milles cinq cents

5) **Complète la phrase avec les mots qui conviennent.**

Ce magasin a vendu les ... de son stock.

A. ❑ douze vingtième   B. ☑ quatre cinquièmes

C. ❑ quatres septièmes   D. ❑ huit dixième

6) **Complète la phrase avec les déterminants numéraux qui conviennent.**

Les ... rencontres de jeux vidéo ont réuni ... passionnés.

A. ❑ neuvième / cinq milles   B. ❑ neuvième / cinq mille

C. ❑ neuvièmes / cinq milles   D. ☑ neuvièmes / cinq mille

7) **Complète la phrase avec l'écriture correcte du nombre.**

... touristes ont visité le château de Versailles.

A. ❑ Deux millions quatre cents milles   B. ☑ Deux millions quatre cent mille

C. ❑ Deux million quatre cents mille   D. ❑ Deux millions quatre cent milles

8) **Complète la phrase avec les déterminants numéraux qui conviennent.**

Dans une journée, il y a ... heures, donc ... minutes.

A. ☑ vingt-quatre / mille quatre cent quarante

B. ❑ vingt-quatres / milles quatre cents quarante

C. ❑ vingts-quatre / mille quatre cents quarante

corrigé page 66

JE RETIENS

● Les **adjectifs qualificatifs**, ainsi que les **participes** employés comme adjectifs, donnent des précisions sur le nom (ou le pronom) qu'ils accompagnent. Placés **avant** ou **après les noms** (ou séparés du nom par un **verbe d'état**), ils **s'accordent** en genre et en nombre avec eux.

un petit incident fâcheux   de petites mésaventures fâcheuses
un panier garni de fruits   des corbeilles garnies de fruits

● Si l'adjectif qualificatif se rapporte à **plusieurs noms de genre différent**, il se met au **masculin**. Dans ce cas, on s'efforce de placer le nom masculin au plus près de l'adjectif qualificatif.

des roses et des bégonias fanés   des voitures et un autobus immobilisés

JE PROGRESSE

● **Accord des adjectifs de couleur**

▶ Les adjectifs de couleur dérivés de noms, en particulier de noms de fruits, de plantes, de pierres précieuses, etc., sont **invariables**.

des rideaux orange   des yeux noisette   des jupes émeraude
EXCEPTIONS *rose – mauve – pourpre – écarlate – fauve*

▶ De même, lorsque l'adjectif de couleur est **suivi d'un autre adjectif** ou **d'un nom** qui précise la couleur, il ne s'accorde pas.

des chemises gris clair   des robes jaune d'or   des encres bleu-noir

● **Accord des adjectifs composés**

▶ Si les deux termes sont des adjectifs, l'un et l'autre s'accordent.

des sauces aigres-douces

▶ Si le premier terme est un **adverbe**, il reste **invariable**.

des faons nouveau-nés

Il en va de même si le premier terme se termine par a, i ou o.

des rayons ultra-violets – des pierres semi-précieuses –
des micro-ordinateurs

POUR EN SAVOIR PLUS

● **Selon sa place** (avant ou après le nom), l'adjectif qualificatif peut avoir un **sens différent**.

un grand homme (= un homme célèbre)
un homme grand (= un homme de haute taille)

● Certains adjectifs qualificatifs peuvent être employés comme **adverbes** (voir fiche 23) ; ils sont alors **invariables** : *Ces arbres poussent droit.*

1) Quel est l'adjectif qualificatif de cette phrase ?

La vigne exige des soins attentifs pour produire un vin de qualité.

A. ☐ exige   B. ☑ attentifs   C. ☐ produire   D. ☐ qualité

2) Complète la phrase avec l'adjectif qualificatif qui convient.

La piqûre de certains insectes peut être ... .

A. ☐ mortel   B. ☑ mortelles   C. ☐ mortels   D. ☑ mortelle

3) Complète la phrase avec les adjectifs qualificatifs qui conviennent.

Lors des ... fouilles, on a découvert des vestiges ... .

A. ☐ récents / gallo-romain   B. ☑ récentes / gallo-romains

C. ☐ récente / gallos-romains   D. ☐ récentes / gallos-romain

4) Complète la phrase avec les adjectifs qualificatifs qui conviennent.

Les brocanteurs vendent souvent de ... appareils ... .

A. ☐ vieils / démonté   B. ☐ vieilles / démodées

C. ☑ vieux / démodés   D. ☐ petites / démontées

5) Complète la phrase avec les adjectifs qualificatifs qui conviennent.

... et ..., la façade paraît ... .

A. ☐ Crépi / repeint / neuf   B. ☐ Crépie / repeinte / neuves

C. ☐ Crépis / repeints / neufs   D. ☑ Crépie / repeinte / neuve

6) Quel est l'adjectif qualificatif de cette phrase ?

Ce chiot apeuré me regarde droit dans les yeux.

A. ☐ chiot   B. ☑ apeuré   C. ☐ droit   D. ☐ yeux

7) Complète la phrase avec les adjectifs qualificatifs qui conviennent.

Ces oiseaux ont des pattes ... et des plumes ... .

A. ☑ bleues / marron   B. ☐ bleus / marrons

C. ☐ bleu / marrons   D. ☐ bleue / marronnes

8) Complète la phrase avec l'adjectif qualificatif qui convient.

Dans la vie, la politesse et le savoir-vivre sont ... .

A. ☐ essentiel   B. ☐ essentielles   C. ☑ essentiels   D. ☐ essentielle

corrigé page 67

Le féminin des adjectifs qualificatifs

JE RETIENS

● Pour accorder un **adjectif qualificatif** (ou un **participe** employé comme adjectif) avec un nom féminin, il suffit souvent d'ajouter un e à l'adjectif masculin.

un grand placard rangé → une grande armoire rangée

● Beaucoup d'adjectifs qualificatifs sont terminés par un e au masculin. Ils ne changent pas de forme au féminin.

un garçon aimable → une fille aimable   un verre fragile → une assiette fragile

JE PROGRESSE

● Certains adjectifs qualificatifs doublent la **consonne finale** au féminin.

bon → bonne   bas → basse   nul → nulle   gentil → gentille   moyen → moyenne

none (neither) no *average*

● Les adjectifs qualificatifs en **-er** font leur féminin en **-ère**.

amer → amère   entier → entière

● Les adjectifs qualificatifs en **-et** doublent généralement le t au féminin.

pretty cute *coquet → coquette   net → nette   violet → violette*

clear/clean/sharp

EXCEPTIONS Plusieurs adjectifs se terminent par **-ète** au féminin ; en cas de doute, il faut consulter un dictionnaire.

complet → complète   discret → discrète   inquiet → inquiète   secret → secrète

● Les adjectifs qualificatifs en **-eur** font le plus souvent leur féminin en **-euse**.

joker *farceur → farceuse   menteur → menteuse   voleur → voleuse* *thief*

liar

ATTENTION Certains ont un féminin en **-eure**, en **-eresse** ou en **-rice**.

intérieur → intérieure   enchanteur → enchanteresse   protecteur → protectrice

● Certains adjectifs changent leur terminaison au féminin.

[dm]

beau → belle   jumeau → jumelle   franc → franche   doux → douce

twin *soft/mild*

faux → fausse   neuf → neuve   mélodieux → mélodieuse   sweet/

old *vieux → vieille   malin → maligne   rigolo → rigolote   tender*

funny

POUR EN SAVOIR PLUS

● Quelques adjectifs ne prennent pas la marque du féminin.

un manteau chic → une robe chic   un garçon snob → une fille snob

● Au féminin, les adjectifs *grec* et *turc* ont des formes différentes.

une salade grecque   une ville turque

JE M'ENTRAÎNE

1) Quel adjectif qualificatif complète la phrase ?

uneven *La finale fut une partie vraiment ... .*

A. ☑ inégale B. ☐ inégaux C. ☐ inégal D. ☐ inégales

2) Quel est le seul adjectif qualificatif qui peut être masculin ou féminin ?

A. ☐ puérile B. ☑ agile C. ☐ subtile D. ☐ civile *civil*
puéril - childish *subtil - subtle* *civilian*

3) Quel est le féminin singulier de l'adjectif qualificatif *naïf* ?

A. ☐ naïfe B. ☑ naïve C. ☐ naïse D. ☐ naïseuse

4) Complète la phrase avec les adjectifs qualificatifs qui conviennent.

La pêche est ..., ... et ... . *savoureux*

A. ☐ velouté / charnu / savoureuse B. ☐ veloutleuse / charné / savoureuses

C. ☐ veloutées / charnues / savoureux D. ☑ veloutée / charnue / savoureuse
velouté (velvety)

5) Quel est le seul adjectif qui n'est pas au féminin ?

A. ☐ patiente B. ☐ plaintive C. ☑ poltron D. ☐ perverse

6) Complète la phrase avec les adjectifs qualificatifs qui conviennent.

town
La cité ... de cette région ... est désormais à l'abandon.

A. ☐ ouvrierre / minierre B. ☐ ouvrier / minier

C. ☑ ouvrière / minière D. ☐ ouvrières / minières

7) Complète la phrase avec les adjectifs qualificatifs qui conviennent.

Voici une idée ..., mais bien trop ... .

A. ☐ ambitieux / coûteux B. ☐ ambitieuses / coûteuses

C. ☐ ambitienne / coûteure D. ☑ ambitieuse / coûteuse

8) Complète la phrase avec les adjectifs qualificatifs qui conviennent.

... et ..., la vendeuse n'en est pas moins ... .

A. ☐ Discrette / polie / compétent B. ☐ Discrete / poli / compétente

C. ☑ Discrète / polie / compétente D. ☐ Discrète / polit / compétentes

1. LA NATURE DES MOTS

corrigé page 67

JE RETIENS *retenir → to hold/remember/memorize/reter*

On forme généralement **le pluriel des adjectifs qualificatifs** en ajoutant un s à l'adjectif singulier. Cette règle s'applique à tous les adjectifs au féminin pluriel.

un geste violent → des gestes violents
un mur blanc → des murs blancs
une ligne verticale → des lignes verticales

JE PROGRESSE

● Les **adjectifs qualificatifs masculins** terminés par s ou x au singulier ne prennent pas la marque du pluriel ; ils ne varient qu'au féminin.

un détail précis → des détails précis – des questions précises
un hôtel luxueux → des hôtels luxueux – des pièces luxueuses

● Les **adjectifs qualificatifs masculins** terminés par -al au singulier ont un pluriel en -aux.

un match amical → des matchs amicaux
un produit régional → des produits régionaux
un travail colossal → des travaux colossaux
un réseau social → des réseaux sociaux
EXCEPTIONS *un chantier naval → des chantiers navals*
           un pays natal → des pays natals
           un siège bancal → des sièges bancals
           un vent glacial → des vents glacials

● Quelques adjectifs qualificatifs ont un **pluriel particulier**.

un bel agneau → de beaux agneaux
un nouvel aéroport → de nouveaux aéroports
un frère jumeau → des frères jumeaux
un chien esquimau → des chiens esquimaux

POUR EN SAVOIR PLUS

● Quelques adjectifs sont **invariables** :

▶ les **adjectifs de couleur** qui ont pour origine un nom et ceux qui sont composés de plusieurs mots *(voir fiche 12)* :

des yeux marron   *des joues rouge tomate*
des uniformes kaki   *des chemises bleu clair*

▶ certains **noms** ou **adverbes** employés comme adjectifs :

des décorations rococo   *des modèles standard*   *des cassettes vidéo*

1) Complète la phrase avec les adjectifs qui conviennent.

Les figues ... sont toujours un peu ... .

A. ❑ fraîche / juteuse   B. ☑ fraîches / juteuses [juicy] juteux

C. ❑ frais / juteux   D. ❑ frais / juteuse

2) Complète la phrase avec les adjectifs qui conviennent.

Même s'ils sont ... aujourd'hui, les volcans ... peuvent se réveiller un jour.

A. ❑ éteintes / auvergnates   B. ☑ éteints / auvergnats

C. ❑ éteint / auvergnaux   D. ❑ éteinte / auvergnates

   extinct ↓

3) Complète la phrase avec les adjectifs qui conviennent.

... les candidats ... pourront participer au tournoi de tennis.

A. ☑ Seuls / inscrits   B. ❑ Seul / inscrit

C. ❑ Seule / inscrite   D. ❑ Seules / inscrites

4) Quel est le seul adjectif qui peut être au masculin singulier ?

A. ❑ familiaux → familial   B. ☑ odieux

C. ❑ inégaux → inégal   D. ❑ latéraux → latéral

5) Complète la phrase avec les adjectifs qui conviennent.

Les propositions ... appartiennent aux groupes ... .

A. ☑ relative / nominal   B. ❑ relatif / nominale

C. ❑ relatifs / nominales   D. ❑ relatives / nominaux

6) Complète la phrase avec les adjectifs qui conviennent.

Ces chaussées ... sont ... aux poids ... .

A. ☑ dangereuses / interdites / lourds   B. ❑ dangereuse / interdit / lourds

C. ❑ dangereux / interdits / lourd   D. ❑ dangereux / interdite / lourdes

7) Complète la phrase avec les adjectifs qui conviennent.

Ces marchandises, ... d'ateliers ..., sont d'... qualité.

A. ❑ issus / spécials / excellentes   B. ❑ issue / spécial / excellents

C. ☑ issues / spéciaux / excellente   D. ❑ issu / spéciaux / excellent

8) Complète la phrase avec les adjectifs qui conviennent.

Les rues ... favorisent le développement des commerces ... .

A. ❑ piétonne / locals   B. ❑ piéton / locales

C. ❑ piétons / local   D. ☑ piétonnes / locaux

JE RETIENS

● Les adjectifs qualificatifs expriment les qualités ou les caractéristiques d'un être ou d'un objet. Ces qualités peuvent être plus ou moins importantes : elles ont **différents degrés d'intensité** que l'on exprime par le **comparatif** et le **superlatif**.

● Le **comparatif** comporte trois nuances exprimées par un **adverbe** :

▶ comparatif de **supériorité** : *La pêche est plus mûre que la poire.*

▶ comparatif d'**égalité** : *La pêche est aussi mûre que la poire.*

▶ comparatif d'**infériorité** : *La pêche est moins mûre que la poire.*

● Le **superlatif** comporte deux nuances exprimées par un **adverbe** :

▶ superlatif de **supériorité** : *La pêche est la plus mûre.*

▶ superlatif d'**infériorité** : *La poire est la moins mûre.*

JE PROGRESSE

● Trois **comparatifs** de supériorité sont **irréguliers.**

bon → meilleur	*Ce plat est bon, mais le dessert est meilleur.*	
petit → moindre	*Tu saisis la moindre occasion de t'instruire.*	
mauvais → pire	*Ne commettez pas la pire des imprudences.*	

● Le **superlatif** peut être **absolu** : *La poire est très sucrée.*
Ou bien il peut être **relatif**. Dans ce cas, il est souvent suivi d'un complément introduit par la préposition *de*, mais il peut aussi ne pas y avoir de complément, surtout si l'élément de comparaison est évident :
La poire est le plus sucré de tous les fruits d'été.
Dans cette équipe, c'est Tony Jordan le plus talentueux (**sous-entendu :** *de tous les joueurs*).

POUR EN SAVOIR PLUS

Les **compléments** du comparatif et du superlatif peuvent être :

▶ des **noms** ou des groupes nominaux :
La poire est plus sucrée que la pomme.
Le séquoia est le plus haut de tous les arbres.

▶ des **pronoms** :
Sébastien est plus tolérant que toi.   *Sébastien est le plus tolérant de tous.*

▶ des **adjectifs** : *Ce tireur est plus adroit que prévu.*

▶ des **adverbes** : *Ce tireur est plus adroit qu'avant.*

▶ des **propositions** :
C'est le fruit le plus sucré qui soit.   *Ce fruit est plus sucré que je ne le pensais.*

1) Quel est le degré de l'adjectif qualificatif souligné ?

Le Brésil est plus <u>peuplé</u> que l'Argentine.

A. ☑ comparatif de supériorité   B. ❑ comparatif d'infériorité
C. ❑ superlatif de supériorité   D. ❑ superlatif d'infériorité

2) Quel est le degré de l'adjectif qualificatif souligné ?

Ce problème est moins <u>difficile</u> que je ne le pensais.

A. ❑ superlatif absolu   B. ☑ comparatif d'infériorité
C. ❑ superlatif relatif   D. ❑ comparatif d'égalité

3) Quel est le degré de l'adjectif qualificatif souligné ?

L'Amazone est le plus <u>long</u> de tous les fleuves du monde.

A. ❑ superlatif d'infériorité relatif   B. ❑ superlatif de supériorité absolu
C. ☑ superlatif de supériorité relatif   D. ❑ superlatif d'infériorité absolu

4) Quel complément peut-on ajouter à ce superlatif relatif ?

Le dernier virage est le plus dangereux ... .

A. ❑ sans freiner   B. ❑ avec prudence
C. ❑ que le premier   D. ☑ de la descente

5) Quel est le degré de l'adjectif qualificatif souligné ?

Cet acteur est moins <u>connu</u> que Jean Dujardin.

A. ☑ comparatif d'infériorité   B. ❑ comparatif de supériorité
C. ❑ comparatif d'égalité   D. ❑ superlatif d'infériorité

6) Quel est le degré de l'adjectif qualificatif souligné ?

La tortue est-elle aussi <u>rapide</u> que le lièvre ?

A. ❑ comparatif de supériorité   B. ❑ comparatif d'infériorité
C. ❑ superlatif d'infériorité   D. ☑ comparatif d'égalité

7) Quel complément peut-on ajouter à ce comparatif d'égalité ?

Le canapé du salon est aussi confortable ... .

A. ❑ de tous   B. ☑ que les fauteuils
C. ❑ sans peine   D. ❑ pour lire

8) Quel est le degré de l'adjectif qualificatif souligné ?

Vous avez choisi le pantalon le moins <u>voyant</u>.

A. ❑ superlatif d'infériorité absolu   B. ☑ superlatif d'infériorité relatif
C. ❑ comparatif d'infériorité   D. ❑ comparatif d'égalité

1. LA NATURE DES MOTS

corrigé page 68

JE RETIENS

● Le **groupe nominal (GN)** est un ensemble de mots organisé autour d'un **nom principal** (nom **noyau**). *nucleo / core / heart*

● Certains des mots qui se rapportent au nom principal **s'accordent** :

▸ les adjectifs qualificatifs : *Ce vêtement <u>imperméable</u> protège du froid <u>glacial</u>.*

▸ les participes passés employés comme adjectifs : *Les randonneurs <u>frigorifiés</u> se réfugient sous un abri <u>aménagé</u>.*

▸ les adjectifs verbaux : *Un inventeur <u>passionnant</u> a conçu un robot <u>étonnant</u>.*

● Le GN peut aussi comporter d'autres groupes de mots qui ne s'accordent pas :

▸ un complément du nom *(voir fiche 50)* :
Des jardinières fleurissent les balcons <u>de la résidence</u>.

▸ une proposition subordonnée relative *(voir fiche 56)* :
Je préfère les chansons <u>dont les paroles sont en français</u>.

● Si le groupe comporte simplement un déterminant et un nom, ou s'il se réduit à un seul nom, on dit qu'il est **minimal.** *which*

    Mon frère s'ennuie. (bored)   *Bertrand s'ennuie.*

● Lorsque le groupe nominal est introduit par une **préposition**, on l'appelle **groupe nominal prépositionnel.**

    La foule se presse <u>devant</u> les guichets du stade.

JE PROGRESSE

Le GN peut occuper diverses **fonctions** dans la phrase *(voir fiches 40 à 48)* :

▸ sujet du verbe : *<u>Les supporters de Nantes</u> agitent des drapeaux.*

▸ complément d'objet : *Les élèves effectuent <u>un devoir de français</u>.* *dire*

▸ complément circonstanciel : *Nous serons en vacances <u>la semaine prochaine</u>.*

▸ complément du nom : *J'ai fait l'acquisition <u>d'un équipement pour la plongée</u>.*

▸ apposition : *Dracula, <u>un film d'épouvante</u>, est programmé tard dans la soirée.*

▸ attribut du sujet : *Johnny est <u>un chanteur de renommée mondiale</u>.*

POUR EN SAVOIR PLUS

● Il existe des groupes nominaux organisés autour d'un **pronom**.
    J'envoie une invitation à <u>chacun</u> de mes camarades.

● On peut parfois compléter un nom par une proposition subordonnée complétive.
    Le risque <u>qu'il puisse y avoir une avalanche</u> est réel.

Young

1) Quel est le nom principal de ce groupe nominal ?

un jeune inspecteur de police judiciaire

A. ☐ jeune   B. ☑ inspecteur   C. ☐ police   D. ☐ judiciaire

2) Quels mots complètent les deux groupes nominaux ?

L'île ... où vit une colonie ... est située près du pôle Sud.

A. ☑ déserte / de manchots *(penguin)*   B. ☐ de Malte / compliquée

C. ☐ voisine / froide   D. ☐ parfaite / de lions

underlined / accent
stressed

3) Quel est le nom principal du groupe nominal souligné ?

Tartarin de Tarascon est <u>un personnage imaginé par Alphonse Daudet</u>.

A. ☐ Alphonse   B. ☐ imaginé   C. ☐ Daudet   D. ☑ personnage

4) Quelle est la fonction des mots qui accompagnent le nom principal souligné ?

<u>Amélie</u>, une élève studieuse, n'oublie jamais d'apprendre ses leçons.

A. ☐ complément du nom   B. ☑ apposition

C. ☐ adjectif qualificatif   D. ☐ complément d'objet

5) Quelle est la nature grammaticale du mot souligné dans ce groupe nominal ?

Voici la <u>nouvelle</u> moto de mon frère Cyril.

A. ☑ adjectif qualificatif   B. ☐ nom commun

C. ☐ déterminant démonstratif   D. ☐ déterminant possessif

6) Quel est le nom principal du groupe nominal souligné ?

Les lumières s'allument <u>dans les rues animées de la vieille ville de Colmar</u>.

A. ☐ vieille   B. ☑ rues   C. ☐ ville   D. ☐ Colmar

amaze / astonish

7) Quels mots complètent les deux groupes nominaux ?

La réponse ... étonne ses camarades ... .

A. ☐ de français / qui travaille bien   B. ☐ délicate / rassurant

C. ☐ qui vient / que tu connais   D. ☑ que donne Stéphane / de classe

8) Si l'on met le nom principal du groupe nominal au pluriel, quel est le groupe correctement orthographié ?

pudding

smell   *Je hume une agréable odeur de <u>flan</u> à la vanille.*

A. ☐ d'agréable odeurs de flan à la vanille   B. ☐ une agréable odeur de flans à la vanille

C. ☑ d'agréables odeurs de flan à la vanille   D. ☐ d'agréables odeurs de flans aux vanilles

1. LA NATURE DES MOTS

corrigé page 69

JE RETIENS

Les **pronoms personnels** désignent des personnes, des choses ou des idées.

● Les pronoms personnels **sujets** indiquent celui qui parle, à qui l'on parle, de qui ou de quoi l'on parle.

● Ils varient selon la personne qu'ils désignent.

En montagne, nous respirons un air très pur.
Tu consultes ta messagerie tous les jours.
Ils livrent les colis à domicile.

JE PROGRESSE

● Les différents **pronoms personnels sujets**

singulier	1re personne	je bondis	→ c'est moi qui fais l'action.
	2e personne	tu cries	→ c'est toi qui fais l'action.
	3e personne	il /elle / on agit	→ c'est lui (elle) qui fait l'action
pluriel	1re personne	nous sortons	→ c'est nous qui faisons l'action.
	2e personne	vous campez	→ c'est vous qui faites l'action.
	3e personne	Ils / elles lisent	→ ce sont eux (elles) qui font l'action.

▸ Devant un verbe débutant par une **voyelle** ou un **h muet**, *je* s'élide en *j'*.
J'arrive en avance.   *J'habite un quartier plutôt tranquille.*

▸ Dans une phrase interrogative, le **pronom personnel sujet** est placé **après le verbe**.
Avez-vous vos cahiers ?   *La batterie est-elle rechargée ?*

POUR EN SAVOIR PLUS

Dans le langage courant, le pronom sujet *nous* est assez souvent remplacé par *on*. Le **verbe** est alors conjugué à la **3e personne du singulier,** même si ce pronom représente plusieurs personnes.

Comme le soleil brille, nous ouvrons un parasol.
Comme le soleil brille, on ouvre un parasol.

ATTENTION *Nous* et *on* ne peuvent pas être employés dans une même phrase lorsqu'ils désignent un même sujet.

On écrit : *Comme nous avons la peau fragile, nous ouvrons un parasol.*
ou bien : *Comme on a la peau fragile, on ouvre un parasol.*

JE M'ENTRAÎNE

1) Complète la phrase avec le pronom personnel sujet qui convient.

Quand les poules ont pondu leurs œufs, ... chantent.

A. ☐ ils   B. ☐ elle   C. ☐ on   D. ☑ elles

2) Complète la phrase avec le pronom personnel sujet qui convient.

... réfléchis avant de donner ta réponse.

A. ☐ Je   B. ☐ Elle   C. ☑ Tu   D. ☐ Il

3) Complète la phrase avec les pronoms personnels sujets qui conviennent.

Quand ... ai terminé mon travail, ... peux jouer sur ma tablette.

A. ☐ je / je   B. ☑ j' / je   C. ☐ tu / tu   D. ☐ elle / elle

4) Par quel pronom personnel peut-on remplacer le groupe souligné ?

Une grande bâche en plastique recouvre le tas de bois.

A. ☑ Elle   B. ☐ Elles   C. ☐ Je   D. ☐ Ils

5) Complète la phrase avec le pronom personnel sujet qui convient.

... a souvent besoin d'un plus petit que soi.

A. ☐ Vous   B. ☑ On   C. ☐ Nous   D. ☐ Ils

6) Complète la phrase avec le pronom personnel sujet qui convient.

Avant de répondre, ... réfléchissez longuement.

A. ☑ vous   B. ☐ nous   C. ☐ ils   D. ☐ elles

7) Par quel pronom personnel peut-on remplacer le groupe souligné ?

D'immenses chaluts raclent les fonds marins.

A. ☐ Il   B. ☐ Elle   C. ☑ Ils   D. ☐ On

8) Remplace les pronoms personnels soulignés par les noms qui conviennent.

Ils sont furieux ; à minuit, elle a traversé la ville dans un bruit d'enfer.

A. ☐ Le quartier / un camion   B. ☑ Les habitants / une moto

C. ☐ Les commerçantes / des motos   D. ☐ Mes parents / des bolides

corrigé page 69

JE RETIENS

● Les **pronoms personnels compléments du verbe** remplacent un nom, un groupe nominal ou une proposition ; ils permettent souvent d'éviter une répétition.

● Ils **varient selon la fonction** (complément d'objet direct ou indirect, complément circonstanciel) qu'ils occupent.

Mon camarade a oublié son livre ; je lui prête le mien.
Les étoiles se déplacent plus vite qu'on ne le croit généralement.
J'ai apporté ce cadeau ; il est pour toi.
Ces épinards sont délicieux ; tu en reprendras volontiers.

JE PROGRESSE

● Les différents **pronoms personnels compléments**

singulier	1re personne	me – moi
	2e personne	te – toi
	3e personne	se – soi – le – la – lui – elle – en – y
pluriel	1re personne	nous
	2e personne	vous
	3e personne	se – les – eux – leur – en – y

● Lorsque le pronom personnel complément désigne la même personne que le pronom personnel sujet, on dit qu'il est **réfléchi**.

Il représente le sujet qui fait l'action sur lui-même.

Je me peigne.   *Tu te plains.*   *Elle se fâche.*
Nous nous groupons.   *Vous vous hâtez.*   *Ils s'installent.*

POUR EN SAVOIR PLUS

● Le pronom personnel complément est placé **avant le verbe**, sauf à la forme affirmative de l'impératif.

Comme les trottoirs sont enneigés, les employés les dégagent.
Ce tee-shirt est troué ; ne le prends pas. Ce tee-shirt est neuf ; prends-le.

● Quand **plusieurs pronoms** sont **compléments** d'un même verbe, le complément d'objet indirect est placé le plus près du verbe.

Tom n'a pas compris ma question ; je la lui répète !

Mais c'est l'inverse à l'impératif : *Je n'ai pas compris ta question ; répète-la-moi.*

ATTENTION À l'impératif, il ne faut pas oublier de placer les traits d'union *(voir fiche 31).*

1) **Complète la phrase avec le pronom personnel qui convient.**

Les parieurs espèrent toujours que la fortune ... sourira.

A. ❑ les   B. ❑ en   C. ☑ leur   D. ❑ lui

2) **Complète la phrase avec les pronoms personnels qui conviennent.**

Le client attend sa monnaie ; la caissière ... ... tend.

A. ☑ la lui   B. ❑ le les   C. ❑ lui la   D. ❑ les leur

3) **Complète la phrase avec le pronom personnel qui convient.**

Les passagers sont inquiets ; l'hôtesse de l'air ... rassure.

A. ❑ en   B. ☑ les   C. ❑ leur   D. ❑ soi

4) **Complète la phrase avec les pronoms personnels qui conviennent.**

Lorsque tes amis ... envoient des SMS, ... réponds aussitôt.

A. ☑ t' / tu leur   B. ❑ s' / je lui

C. ❑ m' / je les   D. ❑ nous / nous en

5) **Complète la phrase avec les pronoms personnels qui conviennent.**

Ce vase est fragile ; ... dois ... prendre soin.

A. ❑ je / le   B. ❑ elle / y   C. ❑ il / leur   D. ☑ tu / en

6) **Complète la phrase avec les pronoms personnels qui conviennent.**

... es arrivée en retard ; le directeur ... demande de ... justifier.

A. ❑ Il / leur / me   B. ☑ Tu / te / te

C. ❑ Je / me / me   D. ❑ Elle / lui / te

7) **Complète la phrase avec les pronoms personnels qui conviennent.**

Comme mon chat adore les croquettes, ... donne tous les jours.

A. ❑ elle nous les   B. ☑ je lui en

C. ❑ je leur les   D. ❑ tu les lui

8) **Complète la phrase avec les pronoms personnels qui conviennent.**

M. Ritchie passe ses vacances au Portugal ; ... ... rend très souvent.

A. ❑ elle s'en   B. ❑ tu le   C. ☑ il s'y   D. ❑ je m'

corrigé page 69

19 Les pronoms possessifs

JE RETIENS

● Le **pronom possessif** remplace un nom précédé d'un déterminant possessif. Il indique, dans un ensemble d'êtres, d'idées ou de choses, à qui appartient l'être, l'idée ou la chose qu'il représente.

Ma sœur est au collège, la tienne (= ta sœur) est déjà au lycée.
Parmi tous ces vêtements, voici les miens (= mes vêtements).

● Les pronoms possessifs sont formés de deux mots, dont le premier est un **article défini**. Ils **varient** en genre et en nombre selon l'être ou l'objet possédé, et en personne selon le possesseur.

Cet immeuble n'a pas d'ascenseur, le vôtre non plus…
Je prendrai mes vacances en août ; nos voisins prendront les leurs en juin.

● Les différents **pronoms possessifs**

▸ **possesseur unique**

objet possédé	1re personne	2e personne	3e personne
singulier	le **mien** la **mienne**	le **tien** la **tienne**	le **sien** la **sienne**
pluriel	les **miens** les **miennes**	les **tiens** les **tiennes**	les **siens** les **siennes**

▸ **plusieurs possesseurs**

objet possédé	1re personne	2e personne	3e personne
singulier	le **nôtre** la **nôtre**	le **vôtre** la **vôtre**	le **leur** la **leur**
pluriel	les **nôtres**	les **vôtres**	les **leurs**

JE PROGRESSE

● Précédés des prépositions *à* et *de*, les pronoms possessifs présentent des **formes contractées**.

au mien – au tien – au sien – du tien – des vôtres – des leurs

ATTENTION Les pronoms possessifs des 1re et 2e personnes du pluriel prennent un accent circonflexe, alors que les déterminants possessifs n'en ont pas.

Notre quartier est desservi par le métro, le vôtre par un autobus.

POUR EN SAVOIR PLUS

● Comme tous les pronoms, les pronoms possessifs peuvent avoir les mêmes fonctions que les noms.

Tes cheveux sont bruns ; les miens sont blonds. ➜ *les miens* = sujet du verbe

among
between

1) Complète la phrase avec le pronom possessif qui convient.

L'architecte est satisfait ; parmi tous les projets présentés, ... a été retenu.

A. ☐ les siens   B. ☐ le vôtre   C. ☑ le sien   D. ☐ les miens

2) Complète la phrase avec le pronom possessif qui convient.

J'avais préparé des desserts ; mes amis ont également apporté ... .

A. ☐ le nôtre   B. ☐ les vôtres   C. ☑ les leurs   D. ☐ les siens

3) Complète la phrase avec le déterminant et le pronom possessifs qui conviennent.

Vous avez ... chanteurs préférés et nous avons ... .

A. ☐ nos / les miens   B. ☐ leurs / les siennes

C. ☐ tes / les vôtres   D. ☑ vos / les nôtres

4) Complète la phrase avec le déterminant et le pronom possessifs qui conviennent.

Je ne peux pas télécharger ces jeux sur ... tablette ; peux-tu me prêter ... ?

A. ☐ tes / les tiens   B. ☑ ma / la tienne

C. ☐ mes / les tiennes   D. ☐ nos / les leurs

5) Complète la phrase avec le déterminant et le pronom possessifs qui conviennent.

Tu as placé des autocollants sur ... sac ; je ne ferai pas de même sur ... .

A. ☐ notre / les siens   *sticker*   B. ☑ ton / le mien

C. ☐ ses / les leurs   D. ☐ vos / les vôtres

6) À quel mot de la première proposition se réfère le pronom possessif souligné ?

La tondeuse de monsieur Alain est en panne ; mon père lui prête la sienne.

A. ☑ tondeuse   B. ☐ monsieur   C. ☐ Alain   D. ☐ panne

lawn mower

7) Quelle est la fonction du pronom possessif souligné ?

Les noms propres ne figurent pas dans mon dictionnaire ; qu'en est-il dans le tien ?

A. ☐ sujet du verbe   B. ☐ complément d'objet direct

C. ☐ attribut du sujet   D. ☑ complément de lieu

8) Quelle est la fonction du pronom possessif souligné ?

Avant le départ de l'autobus, le conducteur met sa ceinture ;
les passagers l'imitent et bouclent la leur.

A. ☐ complément de temps   B. ☐ complément d'objet second

C. ☑ complément d'objet direct   D. ☐ complément de manière

1. LA NATURE DES MOTS

JE RETIENS

● Les **pronoms démonstratifs** remplacent des noms ou des groupes de mots déjà cités ; ils permettent ainsi d'éviter des répétitions.

Cet après-midi, les élèves iront au théâtre, mais ceux qui arriveront en retard seront privés de sortie.

En voulant aiguiser son couteau, Amaury s'est coupé ; cela aurait dû lui servir de leçon et, pourtant, il a recommencé !

● Ils peuvent également servir à désigner précisément quelque chose.

Tu ne penses tout de même pas sortir avec ça sur la tête !

JE PROGRESSE

● Les différents **pronoms démonstratifs**

		masculin	féminin	neutre
formes simples	singulier	celui	celle	ce – c' ça ceci cela
	pluriel	ceux	celles	
formes composées	singulier	celui-ci celui-là	celle-ci celle-là	
	pluriel	ceux-ci ceux-là	celles-ci celles-là	

(annotations manuscrites : no gender ideas comments statements ; ceci – this ; cela – that)

● Les **formes simples** sont toujours accompagnées d'un **complément du pronom** ou d'une **proposition relative**.

Nous avons le choix entre deux itinéraires ; celui <u>de droite</u> paraît le plus court.
De toutes ces peintures, je préfère celle <u>qui représente le port d'Honfleur</u>.

● Dans les **formes composées**, *-ci* et *-là* servent à distinguer des personnes ou des objets.

Il n'y a qu'un moyen de différencier ces jumelles : celle-ci a les yeux marron et celle-là les yeux bleus.

(annotations manuscrites : this one here ; that one there)

● Dans d'autres emplois, les formes avec *-ci* marquent la proximité et les formes avec *-là*, l'éloignement.

Quelle école fréquentes-tu ? Celle-ci ou celle-là ?

POUR EN SAVOIR PLUS

● Lorsque les formes du verbe *être* commencent par une voyelle, le pronom démonstratif *ce* s'élide.

C'est avec plaisir que je vous accompagnerai.
Les chevaliers du Moyen Âge, c'étaient de fiers guerriers.

1) **Complète la phrase avec le pronom démonstratif qui convient.**

La pizza aux champignons est appétissante, mais je préfère ... .

A. ☐ ceux-là   B. ☐ celles-là   C. ☑ celle-ci   D. ☐ celui-ci

2) **Complète la phrase avec le pronom démonstratif qui convient.**

De toutes ces émissions, j'aimerais surtout revoir ... qui se déroule en Italie.

A. ☑ celle   B. ☐ celles   C. ☐ celles-là   D. ☐ ceux

3) **Dans cette phrase, quels sont le genre et le nombre du pronom démonstratif souligné ?** *masc. pluri*   *+ verbe être = locution*

N'enfilez pas ces gants : ils ne vous iraient pas car ce sont les miens.

A. ☐ masculin / pluriel   B. ☑ neutre

C. ☐ masculin / singulier   D. ☐ féminin / pluriel

4) **Complète la phrase avec les pronoms démonstratifs qui conviennent.**

Je te confie les clés ; ... ouvre la porte de gauche et ... la porte de droite. *fem.*

A. ☐ celles-ci / celles-là   B. ☐ ceux-ci / ceux-là

C. ☑ celle-ci / celle-là   D. ☐ c' / c'

5) **Complète la phrase avec le pronom démonstratif qui convient.**

Si tu ranges correctement tes affaires, ... te fera gagner du temps.

A. ☐ ce   B. ☐ celles-ci   C. ☐ ceux-ci   D. ☑ cela

6) **Dans cette phrase, quels sont le genre et le nombre du pronom démonstratif souligné ?**

Au parc d'attractions, Sylvia est celle qui s'est le plus amusée.

A. ☐ masculin / singulier   B. ☑ féminin / singulier

C. ☐ féminin / pluriel   D. ☐ neutre

7) **Complète la phrase avec le pronom démonstratif qui convient.**

Lorsque Champollion déchiffra les hiéroglyphes, ... fut le plus beau jour de sa vie.

A. ☐ ceux   B. ☐ celles   C. ☐ c'   D. ☑ ce

8) **Complète la phrase avec le pronom démonstratif qui convient.**

Les oiseaux ont des ailes, mais connais-tu le nom de ... qui ne volent pas ? *fem. (wing)*

A. ☑ ceux   B. ☐ celui   C. ☐ celles   D. ☐ ceux-là

corrigé page 71

● Le **pronom relatif** introduit une **proposition** dite **relative**. Il remplace généralement un nom ou un pronom placé avant lui : son **antécédent**.

● Le pronom relatif a le **genre** et le **nombre de son antécédent**.

Delphine correspond avec ses <u>cousines</u> qui résident au Danemark.
Ce logiciel est <u>celui</u> que j'utilise le plus souvent.
Le <u>concert</u> auquel nous avons assisté était très joyeux.

whom
qui → verbe

● Les différents **pronoms relatifs**

formes simples **invariables**		qui – que / qu' – quoi – dont – où – quiconque *anyone - anybody - whoever*		
formes composées **variables**	masc. singulier	lequel	duquel	auquel
	fém. singulier	laquelle	de laquelle	à laquelle
	masc. pluriel	lesquels	desquels	auxquels
	fém. pluriel	lesquelles	desquelles	auxquelles

● Les pronoms relatifs occupent différentes **fonctions** dans la proposition relative :

▸ **sujet** du verbe :
L'anaconda est <u>un reptile</u> qui pèse plus de deux cents kilos.

▸ **complément d'objet direct** :
Ce ne sont que <u>des papillons</u> que chasse le jeune Alberto.

▸ **complément d'objet indirect** :
J'ai remercié <u>l'homme</u> auquel j'ai demandé mon chemin.
<u>Avec tous ces légumes</u>, il y a de quoi faire une bonne ratatouille.
<u>L'expérience</u> à laquelle ont procédé les techniciens fut une réussite.

▸ **complément circonstanciel** de lieu ou de temps :
La Normandie est <u>une région</u> où l'on fabrique de délicieux fromages.
Il est loin <u>le temps</u> où l'on s'éclairait à l'aide de <u>bougies</u>. candle spark

▸ **complément du nom** :
Comment s'appelle <u>le plat</u> dont raffolent les Alsaciens ?

Le genre du pronom relatif peut être neutre lorsque l'antécédent est un pronom.
Vous pensez résoudre cette énigme en peu de temps, <u>ce</u> dont nous doutons.

1) Complète la phrase avec le pronom relatif qui convient.

Les planeurs ... frôlent les falaises profitent des vents ascendants.

A. ☐ lesquelles   B. ☐ que   C. ☐ auxquels   D. ☑ qui

2) Complète la phrase avec le pronom relatif qui convient.

Peux-tu déplacer la chaise ... se trouve devant la porte ?

A. ☐ que   B. ☐ lequel   C. ☑ qui   D. ☐ où

3) Complète la phrase avec le pronom relatif qui convient.

Patrick est quelqu'un ... on peut se fier pour organiser un jeu.

A. ☐ qui   B. ☑ auquel   C. ☐ par lequel   D. ☐ duquel

4) Complète la phrase avec le pronom relatif qui convient.

L'île de Sainte-Hélène ... mourut Napoléon Ier se trouve dans l'océan Atlantique.

A. ☑ où   B. ☐ que   C. ☐ à laquelle   D. ☐ dont

5) Quel est l'antécédent du pronom relatif souligné ?

La personne à côté de _laquelle_ je suis assis s'est endormie pendant le film !

A. ☑ la personne   B. ☐ à côté   C. ☐ pendant   D. ☐ le film

6) Complète la phrase avec le pronom relatif qui convient.

Le feuilleton dans ... jouent des acteurs débutants rencontre un franc succès.

A. ☐ laquelle   B. ☑ lequel   C. ☐ lesquels   D. ☐ où

7) Complète la phrase avec le pronom relatif qui convient.

Je dois porter des _lunettes_ de soleil sans ... je ne peux pas skier.

A. ☐ lequel   B. ☐ que   C. ☑ lesquelles   D. ☐ quiconque

8) Quel est l'antécédent du pronom relatif souligné ?

Dans cette caisse à outils, il n'y a rien _dont_ un mécanicien puisse se servir.

A. ☐ caisse   B. ☐ outils   C. ☑ rien   D. ☐ mécanicien

corrigé page 71

JE RETIENS

Les **pronoms interrogatifs** permettent de s'interroger sur des êtres, des choses, des idées qui ont déjà été mentionnés ou qui le seront.

De ces deux modèles, lequel allez-vous choisir ? Which/who/that/whom

Quoi de plus douillet qu'un oreiller en plumes d'oie ?

Duquel de ces pays Varsovie est-elle la capitale ?

Par où vais-je commencer le ménage ?

JE PROGRESSE

● **Principaux pronoms interrogatifs**

formes simples **invariables**		qui – que / qu' – quoi – où		
formes composées **variables**	masc. singulier	lequel	duquel	auquel
	fém. singulier	laquelle	de laquelle	à laquelle
	masc. pluriel	lesquels	desquels	auxquels
	fém. pluriel	lesquelles	desquelles	auxquelles

● Le pronom interrogatif *qui* permet d'interroger sur un **être animé**.

Qui osera traverser ce fleuve à la nage ? *Qui aboie à l'approche des intrus ?*

● Le pronom interrogatif *que* permet d'interroger sur une **chose**, une **idée**, une **intention**, un **fait**.

Que porterez-vous s'il fait froid ? *Que penses-tu de ma casquette ?*

● Il existe aussi des **formes surcomposées** que l'on utilise pour insister :

qui est-ce qui – à qui est-ce que – qu'est-ce que...

REMARQUE Ces formes surcomposées n'appartiennent pas à un registre de langue soutenu, sauf lorsque le sujet du verbe est un infinitif.

Qu'est-ce que pendre la crémaillère ? *Qu'est-ce que carguer les voiles ?*

POUR EN SAVOIR PLUS

● Certains **adverbes de quantité** peuvent être employés comme pronoms interrogatifs.

Combien avez-vous de gigaoctets sur votre clé USB ?

● Les pronoms interrogatifs sont parfois renforcés par l'adjonction de *donc*, *par hasard*, *ça...*

Qui <u>donc</u> as-tu invité à ta fête ? *Je n'ai pas compris son nom ; qui <u>ça</u> ?*

● L'interrogation peut être indirecte.

De toutes ces chansons, dites-moi laquelle vous préférez.

1) **Quel pronom interrogatif complète cette phrase ?**

... d'entre vous occupera le poste d'avant-centre ?

A. ☐ Lesquels   B. ☐ Quoi   C. ☑ Qui   D. ☐ Que

2) **Quel pronom interrogatif complète cette phrase ?**

... cherchait Christophe Colomb lorsqu'il partit vers l'ouest ?

A. ☐ Quoi   B. ☐ Laquelle   C. ☐ Qui est-ce qui   D. ☑ Que

3) **Quel pronom interrogatif complète cette phrase ?**

De Mozart ou de Voltaire, ... était musicien ?

A. ☐ par lequel   B. ☐ auquel   C. ☐ lesquels   D. ☑ lequel

4) **Quel pronom interrogatif complète cette phrase ?**

... vaut cette raquette de tennis ?

A. ☐ Quoi   B. ☑ Combien   C. ☐ Auxquelles   D. ☐ Où

5) **Quel pronom interrogatif complète cette phrase ?**

Nous ne savons pas ... nous allons demander ce renseignement.

A. ☐ de quoi   B. ☐ duquel   C. ☑ à qui   D. ☐ sur laquelle

6) **Quelle forme surcomposée d'interrogation complète cette phrase ?**

... peut m'aider à déplacer ce meuble ?

A. ☐ Qui est-ce que   B. ☑ Qu'est-ce que

C. ☐ Sur quoi est-ce que   D. ☑ Qui est-ce qui

7) **Quel pronom interrogatif complète cette phrase ?**

Lorsqu'on l'interrogea, ce candidat ne sut ... répondre.

A. ☐ qui   B. ☑ que   C. ☐ où   D. ☑ lequel

8) **Quels pronoms interrogatifs complètent cette phrase ?**

C'est incroyable ! Dans cet orchestre, on se demande ... fait ... .

A. ☑ qui / quoi   B. ☐ que / que

C. ☐ quoi / lequel   D. ☐ combien / où

corrigé page 72

JE RETIENS

● Les adverbes sont des mots **invariables** qui apportent une précision à :

▸ un **verbe** :
Flavien boit souvent du lait.   *Flavien boit parfois du lait.*

▸ un **adjectif** (ou un participe passé) :
Ce trésor est bien caché.   *Ce trésor est mal caché.* hidden

▸ un autre **adverbe** :
Vous arrivez très tard.   *Vous arrivez souvent tard.*

● Lorsqu'un adverbe est **composé de plusieurs mots**, on l'appelle **locution adverbiale**. Les locutions adverbiales sont **invariables**, comme les adverbes.

Ne t'inquiète pas, je reviens tout de suite.

right away / immediately

JE PROGRESSE

all over / everywhere

elsewhere

● Il existe des adverbes de **manière** (*plutôt, mieux, bien...*), de **lieu** (*ici, partout, ailleurs...*), de **temps** (*jamais, tard, autrefois...*), de **quantité** (*assez, encore, trop...*) enough again, de **doute** (*probablement, peut-être, sans doute...*), d'**affirmation** (*vraiment, bien sûr, sûrement...*), de **négation** (*ne... guère, ne... pas, ne... plus*).

hardly / scarcely

● Un même adverbe peut donner des **précisions différentes** selon le sens de la phrase.

Tu resteras ici un instant. → *ici* = adverbe de lieu
Tu partiras d'ici un instant. → *ici* = adverbe de temps

POUR EN SAVOIR PLUS

● *À demi*, *debout*, *ensemble* sont des adverbes, donc **invariables**.
Les spectateurs sont restés debout. directly - upright / straight
Nous allons ensemble au cours de judo. together
La bouteille est à demi pleine. > half / semi. conscious

● Certains **adjectifs qualificatifs** sont **employés comme adverbes** ; ils sont alors **invariables**.
La viande est hachée menu (= finement).
Cette danseuse est menue (= fine).

● *Tout* est le seul adverbe qui ne soit **pas toujours invariable**. Quand il est placé **devant un adjectif qualificatif féminin** commençant par une **consonne** ou un **h aspiré**, il s'accorde pour que la prononciation soit plus facile.
La maison est toute neuve.   *Les assiettes sont toutes propres.*

1) Complète la phrase avec l'adverbe qui convient.

Le réfrigérateur est ... vide ; il faudra faire des commissions.

A. ❑ aussitôt   B. ❑ mieux   C. ❑ loin   D. ☑ presque

2) Complète la phrase avec l'adverbe qui convient.

Sous l'effet du gel, la chaussée se transforma ... en patinoire !

A. ☑ bientôt   B. ❑ enfin   C. ❑ assez   D. ❑ longtemps

3) Complète la phrase avec la locution adverbiale et l'adverbe qui conviennent.

Vous ne trouverez ... un fauteuil ... confortable.

A. ❑ tout à fait / très   B. ❑ pas du tout / souvent

C. ☑ nulle part / aussi   D. ❑ par ici / avant

4) Quelle est la nature de l'adverbe souligné ?

Je préfère manger les carottes plutôt cuites que crues.

A. ❑ adverbe de lieu   B. ❑ adverbe de temps

C. ❑ adverbe de quantité   D. ☑ adverbe de manière

5) Quel est le contraire de l'adverbe souligné ?

Il y a peu d'épices dans ce plat ; il n'est pas à mon goût.

A. ❑ tout à fait   B. ☑ trop   C. ❑ d'abord   D. ❑ presque

6) Complète la phrase avec les adverbes qui conviennent.

Il fait froid dans le gymnase, mais ..., c'est ... pire.

A. ❑ pourtant / trop   B. ❑ jamais / bientôt

C. ☑ dehors / encore   D. ❑ après / certes

7) Quelle est la nature de l'adverbe souligné ?

Autrefois, les moines recopiaient les livres à la main.

A. ❑ adverbe de lieu   B. ☑ adverbe de temps

C. ❑ adverbe de manière   D. ❑ adverbe de doute

8) Complète la phrase avec les mots corrects.

Lorsqu'elle vit les acrobates sauter si ..., Amélie ouvrit des yeux ... .

A. ☑ haut / ronds   B. ❑ hauts / ronds

C. ❑ haut / rond   D. ❑ hauts / rond

1. LA NATURE DES MOTS

24   Les adverbes de manière en -ment

JE RETIENS

● Beaucoup d'**adverbes de manière** sont formés à partir d'un **adjectif qualificatif au féminin** ; ils se terminent par -ment.

brave – brave → bravement   brutal – brutale → brutalement

Soft doux – douce → doucement   naturel – naturelle → naturellement

● Dans certains cas, on place un **accent aigu** sur le e qui précède la terminaison -ment.

confus – confuse → confusément   énorme – énorme → énormément

when / as →

JE PROGRESSE

● Lorsque l'adjectif masculin se termine par **-é, -ai, -i, -u**, l'adverbe de manière correspondant est formé à partir de l'adjectif masculin.

aisé → aisément *easily*   vrai → vraiment

infini → infiniment   résolu → résolument

On ajoute quelquefois un accent circonflexe sur le **u**.

assidu → assidûment   cru → crûment *vintage*

● Lorsque l'adjectif masculin se termine par le son [ɑ̃], l'adverbe correspondant s'écrit **-emment** ou **-amment** :

▶ si l'adjectif se termine par **-ent**, il s'écrit **-emment**.

impatient → impatiemment   prudent → prudemment

▶ si l'adjectif se termine par **-ant**, il s'écrit **-amment**.

suffisant → suffisamment   brillant → brillamment
sufficient

POUR EN SAVOIR PLUS

● On ne peut pas former des adverbes de manière avec tous les adjectifs qualificatifs (*immobile, content, familial, fameux, aigu, lointain...*).
Au lieu de l'adverbe, il faut alors employer une périphrase.

Les enfants ont ouvert rapidement leurs cadeaux.

mais :

Les enfants ont ouvert leurs cadeaux d'un air content.

● Pour distinguer les **adverbes**, les **noms** et les **adjectifs** terminés par le son [ɑ̃], on essaie de remplacer l'adverbe (invariable) par l'expression « de manière ... ».

Les historiens qui étudient les événements anciens sont généralement des savants éminents.

→ Les historiens qui étudient les événements anciens sont de manière générale des savants éminents.

1) Quel est l'adverbe formé à partir de l'adjectif *gentil* ?

A. ☐ gentilement   B. ☐ gentillement

C. ☑ gentiment   D. ☐ gentiement

2) Complète la phrase avec l'adverbe correct.

Le réglage des brûleurs de la chaudière est effectué ... .

A. ☑ régulièrement   B. ☐ régulierement

C. ☐ réguliement   D. ☐ réguliérement

3) Par quel adverbe peut-on remplacer les mots soulignés ?

Cette personne parle de façon courante l'anglais et l'allemand.

A. ☐ courament   B. ☐ courement   C. ☐ courantement   D. ☑ couramment

fluently

4) Complète la phrase avec l'adverbe correct.

Trop lent, ce coureur ne pourra ... pas rejoindre le peloton.

A. ☐ évidement   B. ☐ évidamment

C. ☑ évidemment   D. ☐ évidentement

5) Complète la phrase avec les adverbes corrects.

La colle est ... sèche, mais attendez ... un instant.

A. ☐ apparement / souvent   B. ☑ apparemment / encore

C. ☐ apparent / pourtent   D. ☐ décidement / seullement

6) Complète la phrase avec les adverbes corrects.

Vos parents n'apprécient ... que vous agissiez ... .

A. ☐ nulement / inconsciament   B. ☑ nullement / inconsciemment

C. ☐ nullement / inconsciamment   D. ☐ nulement / inconsciencement

7) Quelle est la nature des mots soulignés ?

Un changement d'horaire surprend forcément les usagers de la SNCF.

A. ☐ adverbe / nom commun   B. ☐ verbe / adjectif qualificatif

C. ☐ adjectif qualificatif / nom commun   D. ☑ nom commun / adverbe

8) Complète la phrase avec l'adverbe correct.

On ne peut pas ... violer les règles du code de la route.

A. ☑ impunément   B. ☐ impuniment

C. ☐ impunnement   D. ☐ impunament

corrigé page 72

JE RETIENS

● Les **prépositions** (*à, après, chez, dans, de, entre, pour, sans, sur, vers,* etc.) sont des mots **invariables** qui introduisent des **compléments**.

Les cyclistes circulent sur une voie qui leur est réservée.
L'automobiliste s'arrête devant la station-service pour faire le plein.

● Lorsque la préposition est composée de plusieurs mots (*afin de, à travers, au-dessus de,* etc.), on l'appelle **locution prépositive**. Cette locution est également **invariable**.

Grégory se trouve au milieu de la foule.
Le gardien de but a tenu sa place en dépit d'une blessure au mollet.

JE PROGRESSE

● Les **compléments** introduits par la préposition peuvent être :

▸ un **nom** ou un **groupe nominal** :
Je cherche la rue de la Gare.   Le chat se cache sous la table du salon.

▸ un **pronom** :
Ce client veut passer avant les autres.

▸ un **verbe à l'infinitif** :
Il s'allonge pour dormir.   J'utilise un fer à repasser.

▸ un **adverbe** :
Cette équipe a marqué un point de plus.   Elle attend depuis longtemps.

▸ un **participe présent** :
Tu t'es piqué le doigt en cueillant des roses.

▸ un **adjectif numéral** :
Dans ce plat, il y a à manger pour quatre !

▸ une **proposition** :
Le naufragé garde un peu d'eau pour quand il sera vraiment épuisé.

POUR EN SAVOIR PLUS

● Parfois, l'article est supprimé entre la préposition et le nom.
des livres pour enfants   recevoir avec joie
mourir de rire   un moulin à légumes

● La préposition peut être suivie d'un adverbe ou d'une locution adverbiale.
Le cuisinier assaisonne le plat sans bien savoir ce que cela va donner.
Tu noteras mon numéro pour, sans faute, m'appeler.

1) Complète la phrase avec la préposition qui convient.

Mme Combier achète sa viande ... boucher de son quartier.

A. ☑ chez le   B. ☐ au   C. ☐ depuis le   D. ☐ avec le

2) Quel est le contraire de la locution prépositive soulignée ?

outside

Les vestiaires se trouvent en dehors du gymnase.

A. ☑ en dedans   B. ☑ à l'intérieur   C. ☐ vers   D. ☐ parmi

inside   *both*

3) Complète la phrase avec la préposition qui convient.   *exhausted*

L'orchestre a joué ... trois heures ; les musiciens sont épuisés.

A. ☐ pendent   B. ☐ selon   C. ☐ pour   D. ☑ pendant

4) Quelles sont les deux prépositions de cette phrase ?

Prendre son vélo pour se rendre à l'école, c'est parfois une bonne idée.

A. ☐ son / parfois B. ☐ Prendre / se C. ☑ pour / à D. ☐ rendre / c'est

5) Complète la phrase avec la locution prépositive qui convient.

... un miracle, les travaux ne seront pas terminés dans les délais.

A. ☐ À l'insu d'   B. ☐ À l'abri d'   C. ☑ À moins d'   D. ☐ À cause d'

6) Complète la phrase avec les prépositions qui conviennent.

... éviter les flaques d'eau, tu marches ... du trottoir. *sidewalk*

A. ☑ Pour / le long   B. ☐ Pendant / vers

C. ☐ Afin d' / sous   D. ☐ Sans / au travers

7) Complète la phrase avec la préposition qui convient.

Le motard se faufile ... les voitures et les camions.

A. ☐ contre   B. ☑ entre   C. ☐ sur   D. ☐ selon

8) Complète la phrase avec les prépositions qui conviennent.

... son habitude, Ophélie fait son lit ... partir ... l'école.

A. ☐ Durant / pour / de   B. ☐ Malgré / faute de / chez

C. ☑ Selon / avant de / à   D. ☐ Pendant / loin de / au lieu de

According to

1. LA NATURE DES MOTS

corrigé page 73

JE RETIENS

● Les **conjonctions de coordination** et les **locutions conjonctives de coordination** sont des mots **invariables** qui relient des mots, des groupes de mots ou des propositions ayant une même fonction dans la phrase.

● **Conjonctions de coordination** simples :

mais – ou – et – donc – or – ni – car

REMARQUE *Or* et *car* ne peuvent relier que des propositions.

● Principales **locutions conjonctives de coordination** :

du moins – par conséquent – c'est-à-dire – en effet – au contraire – en outre – bien plus – ainsi que – c'est pourquoi – du reste…

JE PROGRESSE

Les conjonctions de coordination permettent d'exprimer :

▶ la **cause** : *Je prends un parapluie car il pleut.*
▶ la **liaison** : *Tu as reconnu ton frère et ta sœur sur la photo.*
▶ la **conséquence** : *Il n'y a plus de lait, donc tu ne prépareras pas les crêpes.*
▶ la **transition** : *Je voulais allumer, or l'électricité est coupée.*
▶ la **négation** : *Zohra n'a ni son cahier ni son livre de géographie.*
▶ la **restriction** : *Demain, il fera beau, mais des averses sont possibles.*
▶ l'**alternative** : *Pour corriger le texte, utilise un dictionnaire ou un logiciel.*
▶ l'**explication** : *Il est bien tard, c'est-à-dire près de minuit.*

POUR EN SAVOIR PLUS

● Certains **adverbes** peuvent être employés comme conjonctions de coordination :

aussi, ainsi, puis, toutefois, néanmoins, alors, cependant, soit, ensuite…

● Dans une **énumération**, l'usage est d'employer *et* seulement devant le dernier mot ; les autres mots sont séparés par des virgules.

Le brochet, la tanche, l'ablette, le goujon, la carpe et le gardon sont des poissons d'eau douce.

● La conjonction *ni* ne s'emploie pas obligatoirement de manière redoublée. On peut remplacer le premier *ni* par *pas*.

Je n'apprécie ni les films policiers ni les séries américaines.
Je n'apprécie pas les films policiers ni les séries américaines.

1) **Complète la phrase avec la conjonction de coordination qui convient.**

Appelle-moi ... envoie-moi un SMS pour annoncer ton arrivée.

A. ☐ donc   B. ☑ ou   C. ☐ mais   D. ☐ or

2) **Complète la phrase avec la conjonction de coordination qui convient.**

Prends un bonnet et des gants, ... tu vas avoir froid.

A. ☑ sinon   B. ☐ donc   C. ☐ pourtant   D. ☐ et puis

3) **Complète la phrase avec la conjonction de coordination qui convient.**

Ta tablette ne fonctionne pas ... tu n'as pas rechargé la batterie.

A. ☐ pourtant   B. ☐ néanmoins   C. ☑ car   D. ☐ sinon

however

4) **Complète la phrase avec la conjonction de coordination qui convient.**

Au petit matin, les randonneurs sont partis sans tambour ... trompette.

A. ☐ avec   B. ☐ toutefois   C. ☐ ou   D. ☑ ni

5) **Complète la phrase avec la conjonction de coordination qui convient.**

Tu croyais avoir marqué, ... le poteau a renvoyé le ballon.

A. ☐ donc   B. ☑ mais   C. ☐ car   D. ☐ ou

6) **Complète la phrase avec la conjonction de coordination qui convient.**

On croit que la Terre est immobile, ... elle tourne sur elle-même.

A. ☑ pourtant   B. ☐ donc   C. ☑ par conséquent   D. ☐ sinon

7) **Complète la phrase avec la locution conjonctive de coordination qui convient.**

Ces fruits sont sains ; ..., ils mûrissent sans apports chimiques.

A. ☐ ainsi que   B. ☐ c'est-à-dire   C. ☐ au contraire   D. ☑ en effet

8) **Complète la phrase avec la locution conjonctive de coordination qui convient.**

Les platanes perdent leurs feuilles en automne, ... que les marronniers.

A. ☐ par suite   B. ☐ par conséquent   C. ☑ de même   D. ☐ en outre

corrigé page 73

JE RETIENS

● Les **conjonctions de subordination** sont des mots **invariables** qui relient des **propositions**, généralement une proposition subordonnée à une proposition principale.

● On distingue les conjonctions de subordination **simples** :
que – quand – lorsque – si – comme – puisque – quoique...

et les **locutions conjonctives** de subordination, formées de la **conjonction** *que* précédée d'une **préposition,** d'un **adverbe** ou d'un **participe** :
alors que – afin que – bien que – pourvu que – dès que – depuis que – de crainte que – vu que – parce que – tandis que...

JE PROGRESSE

Les conjonctions de subordination expriment des nuances diverses :

▸ **la cause** : *Puisque tu en as envie, mange un carré de chocolat.*

▸ **le but** : *Je souligne les adjectifs afin qu'ils soient mis en valeur.*

▸ **la conséquence** : *La machine est en panne, si bien que nous sommes obligés de faire la vaisselle à la main.*

▸ **le temps** : *Dès que l'ordinateur sera réparé, j'enregistrerai mon texte.*

▸ **la condition** : *Si la rue est barrée, les véhicules emprunteront la déviation.*

▸ **la comparaison** : *Selon que tu calcules de tête ou avec ta calculatrice, le résultat ne sera peut-être pas le même...*

▸ **la concession** : *Bien que le terrain soit gelé, l'arbitre donne le coup d'envoi.*

POUR EN SAVOIR PLUS

● Il ne faut pas confondre la **conjonction de subordination** *que*, qui **suit un verbe**, avec le **pronom relatif** qui **suit un nom ou un pronom**.

Il se peut que ces tableaux aient un jour une valeur inestimable.
        conj. de subordination

Les visiteurs du musée admirent les tableaux que Monet a peints à Giverny.
                         (pronom relatif)

● Dans une proposition subordonnée introduite par la conjonction *si*, le verbe n'est **jamais au conditionnel**.

On n'écrit pas : *Si j'aurais su, ...*
mais : *Si j'avais su, ...*

1) Complète la phrase avec la conjonction de subordination qui convient.

... les glaces polaires auront fondu, le niveau des mers montera.

A. ☑ Lorsque   B. ❑ Puisque   C. ❑ Quoique   D. ❑ Si
When   *since/as*

2) Complète la phrase avec la locution de subordination qui convient.

Alison boit un grand verre d'eau ... cesse son hoquet. - *hiccup / hiccough*

A. ❑ parce que   B. ❑ malgré que

C. ☑ afin que   D. ❑ à condition que

3) Complète la phrase avec la locution de subordination qui convient.

... nous nous entendions, il faudrait baisser le son du téléviseur.

A. ❑ À mesure que   B. ☑ Pour que   *the sound*

C. ❑ À condition que   D. ❑ Autant que   *as much as*

4) Complète la phrase avec la locution de subordination qui convient.

... la caissière enregistre les achats, Mme Fraix prépare sa carte bancaire.

A. ☑ Tandis que   B. ❑ Encore que   C. ❑ De sorte que   D. ❑ Sans que
While   *though*

5) Complète la phrase avec la conjonction de subordination qui convient.

M. Weber constate avec stupeur ... ses pneus sont (à plat.) *flat*

A. ❑ quand   B. ❑ comme   C. ☑ si   D. ☑ que

6) Complète la phrase avec la locution de subordination qui convient.

... il n'a que huit ans, Olivier dessine déjà des personnages sur ses cahiers.

A. ❑ De peur qu' B. ☑ Alors qu' C. ❑ Au lieu qu' D. ❑ Ainsi qu'
for fear that   *while*   *instead of*   *as well as*

7) Dans cette phrase, quelle est la conjonction de subordination ?

Le voilier avance beaucoup plus vite quand il y a du vent.

A. ❑ beaucoup   B. ❑ plus   C. ❑ vite   D. ☑ quand

8) Complète la phrase avec la locution de subordination qui convient.

... la vitesse est limitée sur cette route, il y a moins d'accidents.

A. ❑ Quoique   B. ❑ Avant que   C. ☑ Depuis que   D. ❑ Bien que

1. LA NATURE DES MOTS

corrigé page 74

Corrigés

Fiche 1. Identifier les mots

1) **Réponse B** – Ce groupe de lettres ne veut rien dire.

2) **Réponse D – 13 mots.**

3) **Réponse D – 13 mots.** La fable nous apprend que le chêne est plus fragile que le roseau.

4) **Réponse B – 9 mots.** La descente en chute libre paraît interminable au parachutiste.

5) **Réponse C – 3 liaisons.** Il serait‿absurde de chercher‿une aiguille dans‿une meule de foin.

6) **Réponse B – 4 liaisons.** Quand‿on est‿assis près de la scène, on‿aperçoit mieux tous les‿acteurs.

7) **Réponse D – 4 apostrophes.** J'ai fait signe au conducteur de l'autobus pour qu'il s'arrête.

8) **Réponse C – 4 apostrophes.** En appuyant sur l'icône à droite de l'écran, j'agrandis la page d'accueil.

Fiche 2. Les noms communs

1) **Réponse A – feuille**
Brusque : adjectif ; *calculer* : verbe ; *sûrement* : adverbe.

2) **Réponse A – tenailles**

3) **Réponse B – sonnette / porte**

4) **Réponse B – un haricot**

5) **Réponse C – une collection**

6) **Réponse D – la jeunesse**
Un *caribou* est le nom donné au renne par les Canadiens.

7) **Réponse B – 4.** Les panneaux de signalisation sont peu nombreux le long des chemins.

8) **Réponse D – 6.** L'employé déplace le curseur sur l'écran de l'ordinateur à l'aide de la souris.

Fiche 3. Les noms propres

1) **Réponse A – Louis-Philippe Ier fut le roi des Français de 1830 à 1848.**
Deux majuscules pour *Louis-Philippe* ; *roi* est un nom commun et ne prend pas de majuscule ; une majuscule pour les *Français*, nom propre d'habitants.

2) **Réponse C – C'est le préfet Poubelle qui imposa l'usage de la poubelle pour les déchets ménagers.**
Préfet est ici un nom commun ; *Poubelle* est le nom de ce préfet. Il arrive que l'on donne à un objet le nom de son inventeur. Autre exemple : le *braille*, système d'écriture pour les aveugles inventé par Louis *Braille*, devenu aveugle à l'âge de 3 ans.

3) **Réponse D – Au Pays basque, as-tu déjà assisté à une partie de pelote basque ?**
Pelote est un nom commun et *basque* un adjectif, donc pas de majuscule. Seul le nom propre *Pays* prend une majuscule.

4) **Réponse B – Le duc Hugues Capet devint le premier des rois capétiens.**
Duc est un nom commun ; *Hugues Capet*, un nom propre ; *capétien*, un adjectif formé sur le nom *Capet*.

5) Réponse D – Rencontre-t-on encore des chevaux ardennais dans les plaines des Ardennes ?
Ardennais est un adjectif formé sur *Ardennes*, donc sans majuscule ; *Ardennes* est le nom d'une région de France, donc majuscule.

6) Réponse A – Les habitants de Roquefort sont fiers de leur fromage : le roquefort.
La ville de Roquefort s'écrit avec une majuscule ; le fromage, nom commun, n'en a pas.

7) Réponse B – L'allemand est évidemment parlé en Allemagne, mais aussi en Autriche.
Allemagne et *Autriche* sont des noms propres et prennent donc une majuscule. L'*allemand*, désignant la langue, s'écrit sans majuscule.

8) Réponse C – le Louvre
La *Toussaint* est une fête calendaire (1ᵉʳ novembre) ; la *Corse*, une île de la Méditerranée ; la *Restauration*, une période historique (1814-1830).

Fiche 4. Le genre des noms

1) Réponse D – Cette romancière a obtenu un prix littéraire.
En cas de doute, il faut vérifier dans le dictionnaire.

2) Réponse B – un moteur
Ce nom ne désigne pas un être animé, donc il ne peut pas avoir d'équivalent féminin.

3) Réponse A – globule
En cas de doute sur le genre d'un nom, il faut consulter le dictionnaire.

4) Réponse D – torpeur

5) Réponse C – La patineuse exécute une triple boucle piquée.
Le sens permet d'écarter *patinoire* et *patinette*.

6) Réponse B – une éducatrice – une décoratrice – une lectrice – une traductrice

7) Réponse C – une lingère
C'est un des rares noms féminins qui n'a pas d'équivalent masculin.

8) Réponse A – L'empereur et l'impératrice vivent dans un magnifique palais.
En cas de doute sur la finale d'un nom, il faut vérifier dans le dictionnaire.

Fiche 5. Le pluriel des noms

1) Réponse B – des épouvantails
En cas de doute, il faut vérifier dans le dictionnaire.

2) Réponse C – Devant les gendarmes, les voleurs ont fait des aveux complets.
Aveu est un nom terminé par *-eu* qui prend un *x* au pluriel ; une seule réponse possible.

3) Réponse A – Remous prend un s, même au singulier.

4) Réponse B – Le prix du chou est plus élevé que celui du radis.
En cas de doute, il faut vérifier dans le dictionnaire.

5) Réponse A – des narvals
Les trois autres noms suivent la règle des noms en *-au* : pluriel en *-aux*. Un *narval* est un mammifère marin appelé aussi *licorne de mer*, en raison de la présence d'une longue défense spiralée chez le mâle.

6) Réponse D – Les essieux de la voiture grincent ; les ouvriers vont les graisser.
Essieu est un nom terminé par *-eu* qui prend un *x* au pluriel.

7) Réponse D – Dans les **châteaux** du Moyen Âge, les **trouvères** récitaient des **fabliaux**. *Château* et *fabliau* prennent un *x* au pluriel.

8) Réponse B – Les deux **boxeurs** terminent le combat avec d'énormes **bleus** autour des **yeux**.

Fiche 6. Les noms composés

1) Réponse A – des crocs-en-jambe
Ce nom composé est formé d'un nom et de son complément introduit par une préposition : seul le nom *croc* prend un *s* au pluriel.

2) Réponse B – des pousse-pousse
Ce nom composé est formé de deux verbes, il est donc invariable.

3) Réponse B – des tiroirs-caisses
Nom composé formé de deux noms : les deux noms prennent un *s* au pluriel.

4) Réponse C – Avec ce compas, on trace des demi-cercles parfaits.
Lorsque *demi* est placé devant un nom ou un adjectif avec lequel il est lié par un trait d'union, il est invariable ; seul le nom (*cercle*) prend un *s* au pluriel.

5) Réponse A – Vous trouverez des protège-cahiers en plastique au rayon des fournitures scolaires.
Le premier mot est un verbe, il est donc invariable ; le nom (*cahier*) prend un *s* au pluriel.

6) Réponse B – Lors de la revue, tous les soldats sont au garde-à-vous.
Le premier mot est un verbe, il est donc invariable ; pour différencier B et D, il faut examiner la préposition *à*.

7) Réponse C – Les courts-circuits ont été provoqués par des électro-aimants trop puissants.
Court-circuit est formé d'un adjectif et d'un nom, qui prennent tous deux un *s* au pluriel. Dans *électro-aimant*, le premier mot est invariable et le second est un nom qui prend un *s* au pluriel.

8) Réponse D – En été, les prairies se couvrent de reines-marguerites et de boutons-d'or.
Reine-marguerite est formé de deux noms, qui prennent tous deux un *s* au pluriel. *Bouton-d'or* est formé d'un nom et de son complément introduit par une préposition : seul le premier nom prend un *s* au pluriel.

Fiche 7. Les articles

1) Réponse A – Nelly répond rapidement aux SMS qu'elle reçoit.
SMS peut être singulier ou pluriel, mais *à les* est incorrect (la préposition et l'article se contractent en *aux*).

2) Réponse C – une

3) Réponse B – Les rayons du soleil dissipent la dernière nappe de brouillard.

4) Réponse C – aux
Aux est un article défini contracté (= *à les*).

5) Réponse B – À la fin de la recette, il est indiqué que l'on peut ajouter du citron.

6) Réponse A – Si le brocanteur baisse les prix, les acheteurs emporteront des merveilles !

7) Réponse B – L'installation de la tente sur l'emplacement prévu ne gênera pas les autres campeurs.

8) Réponse D – la
Dans cette phrase, *la* est un pronom personnel complément, mis à la place de *la lettre*.

Corrigés

Fiche 8. Les déterminants possessifs

1) Réponse C – Dans un pays libre, chacun a le droit d'exprimer son opinion.
Opinion est un nom féminin débutant par une voyelle, le déterminant possessif est donc *son*.

2) Réponse A – Cette énigme a piqué ta curiosité et tu réfléchis.

3) Réponse D – Natacha a perdu ses boucles d'oreilles ; c'était un cadeau de sa marraine.
On peut hésiter entre *mes*, *ses* et *vos* devant *boucles d'oreilles*, mais seul *sa* est possible devant *marraine*.

4) Réponse B – Pour payer ses achats, le client sort sa carte bancaire.
Là encore, on peut hésiter entre *mes*, *ses* et *leurs* devant *achats*, mais seul *sa* est possible devant *carte*.

5) Réponse C – En jouant au basket, Andy s'est tordu la cheville.
Comme il n'y a aucun doute sur le possesseur pour *cheville*, le déterminant possessif est exclu.

6) Réponse A – Paolo s'est cassé le bras ; c'est son troisième accident.
Là encore, aucun doute sur le possesseur pour *bras*, donc le déterminant possessif est exclu.

7) Réponse C – Tu places tes feuilles dans ton classeur.
Le seul déterminant possessif singulier possible devant *classeur* est *ton*.

8) Réponse B – Je cherche une excuse pour expliquer mon retard, car mes parents sont inquiets.
Nous avons un nom singulier et un nom pluriel. Seuls les déterminants de la réponse B conviennent.

Fiche 9. Les déterminants démonstratifs

1) Réponse B – Si le temps le permet, nous partirons ce soir.

2) Réponse C – Pour réparer cette commode, faites confiance à cet ébéniste.
Le premier nom est féminin singulier et le second, qui débute par une voyelle, masculin singulier.

3) Réponse A – Avec ces tenailles, tu arracheras facilement ce clou.
Le premier nom est féminin pluriel et le second, qui débute par une consonne, masculin singulier.

4) Réponse B – Ce jeune enfant vient de perdre ses premières dents de lait.
Le premier nom, masculin singulier, est précédé d'un adjectif débutant par une consonne ; une seule réponse est possible. Le second déterminant, féminin pluriel, est possessif.

5) Réponse C – Cette imprimante vous délivrera une copie parfaite de ce document.
Le premier nom est féminin singulier ; une seule réponse est possible.

6) Réponse D – Cette boisson-ci m'a paru beaucoup plus amère que ce sirop-là.
Pour trouver le genre et le nombre du premier déterminant, il faut examiner l'adjectif qualificatif attribut : *amère* est féminin singulier, donc une seule réponse est possible.

7) Réponse A – Si j'ai le choix, j'écouterai ce disque-ci plutôt que cette chanson-là.
On peut seulement hésiter entre les propositions A et B. Il faut se souvenir que la particule *ci* marque la proximité (donc le premier élément) et la particule *là*, l'éloignement (le second élément).

8) Réponse D – Avec tous ces enfants qui crient autour de Célia, je ne comprends pas ses paroles.
Devant *enfants*, il faut un déterminant démonstratif et, devant *paroles*, un déterminant possessif (ce sont les paroles prononcées par Célia).

Fiche 10. Les déterminants interrogatifs et exclamatifs

1) Réponse C – Usain Bolt a battu le record du monde du 100 mètres : quelle performance !
Performance est un nom féminin singulier ➜ *quelle*.

2) Réponse A – Dans quel traquenard sommes-nous tombés ?
Traquenard est un nom masculin singulier ➜ *quel*.

3) Réponse B – En cas de match nul, quel suspense que l'épreuve des tirs au but !
Suspense est un nom masculin singulier ➜ *quel*.

4) Réponse C – Quels sont les numéros gagnants de la loterie ?
Numéros est un nom masculin pluriel ➜ *quels*.

5) Réponse A – Connais-tu les gorges du Tarn ? Quelles merveilles !
Le déterminant exclamatif précède un nom féminin pluriel ; une seule réponse possible : *quelles*.

6) Réponse D – Quels cadeaux vous a-t-on offerts pour votre anniversaire ?
Le premier nom est au masculin pluriel ➜ *quels*. Le second nom est au masculin singulier ➜ *votre*, puisqu'on s'adresse à la personne à la 2e personne du pluriel, *vous* de politesse.

7) Réponse C – Où se trouve la Malaisie ? Quelle en est la capitale ?
Malaisie est un nom propre féminin ➜ *la* ; *capitale* est également féminin singulier ➜ *quelle*.

8) Réponse B – Je ne sais pas quels outils il faut utiliser pour monter cette étagère.
Outils est un nom masculin pluriel : donc, une seule réponse est possible ➜ *quels* ; *étagère* est féminin singulier ➜ *cette*.

Fiche 11. Les déterminants numéraux

1) Réponse A – L'année se termine le trente et un décembre.
Les deux déterminants sont invariables et, comme ils sont reliés par *et*, il n'y a pas de trait d'union.

2) Réponse D – Ce dictionnaire compte quatre cent soixante-douze pages.
Cent est suivi par un autre nombre, il est donc invariable. *Soixante et douze* est incorrect.

3) Réponse B – Quatre-vingt-cinq concurrents ont pris le départ du marathon.
Quatre est invariable, ce qui exclut les réponses A et D. *Quatre-vingt* est suivi d'un nombre, il est donc invariable.

4) Réponse C – On a vendu deux mille cinq cents billets pour le spectacle de danse.
Mille est toujours invariable. *Cinq cents* n'est pas suivi d'un nombre, il s'accorde.

5) Réponse B – Ce magasin a vendu les quatre cinquièmes de son stock.
Les déterminants numéraux ordinaux prennent la marque du pluriel, ce qui exclut les propositions A et D. *Quatre* est invariable.

6) Réponse D – Les neuvièmes rencontres de jeux vidéo ont réuni cinq mille passionnés.
Les déterminants numéraux ordinaux prennent la marque du pluriel, ce qui exclut les propositions A et B. *Mille* est invariable.

7) Réponse B – Deux millions quatre cent mille touristes ont visité le château de Versailles.
Million s'accorde, ce qui exclut la proposition C. *Mille* est invariable, ce qui exclut les propositions A et D. D'autre part, *cent* est suivi d'un nombre, il est donc invariable.

8) Réponse A – Dans une journée, il y a vingt-quatre heures, donc mille quatre cent quarante minutes.
Vingt et *quatre* sont invariables. *Mille* est invariable. *Cent* est suivi d'un nombre, donc invariable.

Fiche 12. Les adjectifs qualificatifs

1) Réponse B – **attentifs**

2) Réponse D – **La piqûre de certains insectes peut être mortelle.**
L'adjectif qualifie le nom *piqûre*, féminin singulier ➜ *mortelle*.

3) Réponse B – **Lors des récentes fouilles, on a découvert des vestiges gallo-romains.**
Fouilles est féminin pluriel ➜ *récentes*. *Gallo-romain* est un adjectif qualificatif composé dont seul le second élément s'accorde ; le premier, terminé par -*o*, est invariable ➜ *gallo-romains*.

4) Réponse C – **Les brocanteurs vendent souvent de vieux appareils démodés.**
Appareils, nom masculin pluriel ➜ *démodés*.

5) Réponse D – **Crépie et repeinte, la façade paraît neuve.**
Façade, nom féminin singulier ➜ seule réponse possible : *crépie, repeinte* et *neuve*.

6) Réponse B – **apeuré**
Chiot et *yeux* sont des noms ; *droit* est un adverbe.

7) Réponse A – **Ces oiseaux ont des pattes bleues et des plumes marron.**
Pattes et *plumes* sont des noms féminins pluriels ➜ *bleues* ; *marron*, qui indique la couleur en référence à un fruit, est invariable.

8) Réponse C – **Dans la vie, la politesse et le savoir-vivre sont essentiels.**
Lorsqu'on a deux noms de genres différents, l'adjectif qualificatif s'accorde au masculin pluriel.

Fiche 13. Le féminin des adjectifs qualificatifs

1) Réponse A – **inégale**
Finale, nom féminin singulier ➜ *inégale*, adjectif féminin singulier.

2) Réponse B – **agile**
Les trois autres adjectifs se terminent en -*il* au masculin.

3) Réponse B – **naïve**
Quand on ne connaît pas la réponse, il faut consulter le dictionnaire.

4) Réponse D – **La pêche est veloutée, charnue et savoureuse.**
Le nom *pêche* est féminin singulier. Seule la réponse D propose trois adjectifs au féminin singulier.

5) Réponse C – **poltron**
Tous les adjectifs qualificatifs féminins se terminent par -*e*.

6) Réponse C – **La cité ouvrière de cette région minière est désormais à l'abandon.**
On peut seulement hésiter entre les propositions A et C. En se reportant au paragraphe « Je progresse » de cette fiche, on voit que les adjectifs masculins terminés par -*er* ont un féminin terminé par -*ère*.

7) Réponse D – **Voici une idée ambitieuse, mais bien trop coûteuse.**
Idée est un nom féminin singulier ; on écarte donc les propositions A et B. Les adjectifs proposés en C n'appartiennent pas au lexique du français.

8) Réponse C – **Discrète et polie, la vendeuse n'en est pas moins compétente.**
Pour l'accord avec *vendeuse*, il faut trois adjectifs au féminin singulier. Seule la réponse C convient.

Corrigés

Fiche 14. Le pluriel des adjectifs qualificatifs

1) Réponse B – Les figues fraîches sont toujours un peu juteuses.
Pour l'accord avec *figues*, il faut des adjectifs au féminin pluriel.

2) Réponse B – Même s'ils sont éteints aujourd'hui, les volcans auvergnats peuvent se réveiller un jour.
Pour l'accord avec *volcans*, il faut deux adjectifs au masculin pluriel. Seule la proposition B convient.

3) Réponse A – Seuls les candidats inscrits pourront participer au tournoi de tennis.
Pour l'accord avec *candidats*, il faut deux adjectifs au masculin pluriel. Seule la proposition A convient.

4) Réponse B – odieux
Au singulier, *familiaux, inégaux* et *latéraux* font *familial, inégal* et *latéral*.

5) Réponse D – Les propositions relatives appartiennent aux groupes nominaux.
Le premier nom est féminin pluriel ; le second, masculin pluriel. Seule la proposition D convient.

6) Réponse A – Ces chaussées dangereuses sont interdites aux poids lourds.
Le premier nom est féminin pluriel ; le second, masculin pluriel. Seule la proposition A convient avec les deux premiers adjectifs au féminin pluriel et le troisième au masculin pluriel.

7) Réponse C – Ces marchandises, issues d'ateliers spéciaux, sont d'excellente qualité.
Le premier adjectif est mis en apposition au nom *marchandises*, il doit être au féminin pluriel. Pour l'accord avec *ateliers*, il faut un adjectif au masculin pluriel et, pour l'accord avec *qualité*, un adjectif au féminin singulier.

8) Réponse D – Les rues piétonnes favorisent le développement des commerces locaux.
Pour l'accord avec *rues*, il faut un adjectif au féminin pluriel et, pour l'accord avec *commerces*, un adjectif au masculin pluriel. Seule la proposition D convient.

Fiche 15. Le comparatif et le superlatif

1) Réponse A – comparatif de supériorité
Se référer aux exemples donnés dans le paragraphe « Je retiens », fiche 15.

2) Réponse B – comparatif d'infériorité
Se référer aux exemples donnés dans le paragraphe « Je retiens », fiche 15.

3) Réponse C – superlatif de supériorité relatif
Se référer aux exemples donnés dans le paragraphe « Je progresse », fiche 15.

4) Réponse D – Le dernier virage est le plus dangereux de la descente.
Le sens impose la réponse.

5) Réponse A – comparatif d'infériorité
Se référer aux exemples donnés dans le paragraphe « Je retiens », fiche 15.

6) Réponse D – comparatif d'égalité
Se référer aux exemples donnés dans le paragraphe « Je retiens », fiche 15.

7) Réponse B – Le canapé du salon est aussi confortable que les fauteuils.
C'est la seule réponse possible. La présence de l'adverbe *aussi* dans la phrase permet d'écarter la proposition D.

8) Réponse B – superlatif d'infériorité relatif
Se référer aux exemples donnés dans le paragraphe « Je progresse », fiche 15.

Corrigés

Fiche 16. Le groupe nominal

1) Réponse B – **inspecteur**
2) Réponse A – **L'île déserte où vit une colonie de manchots est située près du pôle Sud.**
3) Réponse D – **personnage**
4) Réponse B – **apposition**
Le groupe nominal, *une élève studieuse*, est séparé du nom principal, *Amélie*, par des virgules.
5) Réponse A – **adjectif qualificatif**
6) Réponse B – **rues**
Si l'on supprime tous les autres mots du groupe nominal, la phrase garde son sens : « Les lumières s'allument dans les rues. »
7) Réponse D – **La réponse que donne Stéphane étonne ses camarades de classe.**
Dans toutes les autres propositions, il y a des erreurs d'accord.
8) Réponse C – **Je hume d'agréables odeurs de flan à la vanille.**
Il convient de repérer d'abord le nom principal du groupe nominal : *odeur*. Le complément du nom, *flan à la vanille*, reste au singulier.

Fiche 17. Les pronoms personnels sujets

1) Réponse D – **Quand les poules ont pondu leurs œufs, elles chantent.**
2) Réponse C – **Tu réfléchis avant de donner ta réponse.**
La présence du déterminant possessif *ta* dans la phrase entraîne, comme seule réponse possible, un pronom personnel de la 2e personne du singulier.
3) Réponse B – **Quand j'ai terminé mon travail, je peux jouer sur ma tablette.**
La présence des déterminants possessifs *mon* et *ma* entraîne, comme seule réponse possible, des pronoms personnels de la 1re personne du singulier. Devant une forme verbale débutant par une voyelle, le pronom *je* est élidé.
4) Réponse A – **Elle**
C'est la seule réponse possible, puisque le nom principal du groupe sujet est au féminin singulier.
5) Réponse B – **On a souvent besoin d'un plus petit que soi.**
Parmi les pronoms personnels proposés, *on* est le seul de la 3e personne du singulier.
6) Réponse A – **Avant de répondre, vous réfléchissez longuement.**
La terminaison en *-ez* du verbe indique que le pronom personnel est de la 2e personne du pluriel.
7) Réponse C – **Ils**
Le nom principal du groupe sujet est au masculin pluriel.
8) Réponse B – **Les habitants sont furieux ; à minuit, une moto a traversé la ville dans un bruit d'enfer.**
À la place de *ils*, il faut un nom au masculin pluriel et, à la place de *elle*, un nom au féminin singulier.

Fiche 18. Les pronoms personnels compléments

1) Réponse C – **Les parieurs espèrent toujours que la fortune leur sourira.**
2) Réponse A – **Le client attend sa monnaie ; la caissière la lui tend.**
Le complément d'objet indirect *lui* doit être le plus près du verbe, ce qui exclut la proposition C.

3) Réponse B – Les passagers sont inquiets ; l'hôtesse de l'air les rassure.

4) Réponse A – Lorsque tes amis t'envoient des SMS, tu leur réponds aussitôt.

Pour le premier pronom personnel complément, trois propositions conviendraient : *t'*, *m'* et *nous*. Mais le second pronom complément doit être *leur*, mis pour *tes amis*.

5) Réponse D – Ce vase est fragile ; tu dois en prendre soin.

Au vu de la terminaison du verbe, *dois*, seules les propositions A et D conviendraient. Mais le sens impose la réponse D, *en* étant le complément d'objet indirect de *prendre soin*.

6) Réponse B – Tu es arrivée en retard ; le directeur te demande de te justifier.

La terminaison de l'auxiliaire *être*, *es*, impose la 2ᵉ personne du singulier. C'est donc la seule réponse possible.

7) Réponse B – Comme mon chat adore les croquettes, je lui en donne tous les jours.

La terminaison du verbe, en *-e*, exclut la 2ᵉ personne du singulier. *Lui* est le complément d'objet second, et *en*, le complément d'objet direct.

8) Réponse C – M. Ritchie passe ses vacances au Portugal ; il s'y rend très souvent.

Au vu de la terminaison du verbe, *rend*, les propositions B et D sont à exclure, les pronoms sujets étant de la 1ʳᵉ et de la 2ᵉ personne du singulier. Le sens impose la réponse C puisque le pronom sujet qui remplace *M. Ritchie* doit être masculin.

Fiche 19. Les pronoms possessifs

1) Réponse C – L'architecte est satisfait ; parmi tous les projets présentés, le sien a été retenu.

Le pronom possessif doit être impérativement au singulier. Si, grammaticalement, on peut hésiter entre *le vôtre* et *le sien*, le premier choix ne serait guère cohérent avec la première partie de la phrase.

2) Réponse C – J'avais préparé des desserts ; mes amis ont également apporté les leurs.

Là encore, c'est le sens qui doit guider le choix et qui permet d'écarter *les vôtres*.

3) Réponse D – Vous avez vos chanteurs préférés et nous avons les nôtres.

Le déterminant possessif est obligatoirement de la 2ᵉ personne du pluriel, ce qui exclut les autres propositions.

4) Réponse B – Je ne peux pas télécharger ces jeux sur ma tablette ; peux-tu me prêter la tienne ?

Le déterminant possessif est au singulier (*tablette*) ; une seule réponse possible.

5) Réponse B – Tu as placé des autocollants sur ton sac ; je ne ferai pas de même sur le mien.

Le déterminant possessif doit être impérativement au singulier (*sac*). Si, grammaticalement, on peut hésiter entre *notre* et *ton*, le premier choix ne serait guère en cohérence avec la seconde partie de la phrase.

6) Réponse A – tondeuse

7) Réponse D – complément de lieu

On essaie de poser les questions qui permettent de distinguer les divers compléments d'un verbe (voir fiches 41 à 48). *Qu'en est-il où ?* ➜ *dans le tien* (= dans ton dictionnaire).

8) Réponse C – complément d'objet direct

Là encore, on pose les différentes questions. *Les passagers bouclent quoi ?* ➜ *la leur* (= leur ceinture).

Fiche 20. Les pronoms démonstratifs

1) Réponse C – La pizza aux champignons est appétissante, mais je préfère celle-ci.
Le pronom démonstratif remplace le nom *pizza*, féminin singulier. Grammaticalement, on peut donc admettre la réponse B. Mais il paraît difficile d'imaginer que la personne qui s'exprime puisse déguster plusieurs pizzas, même si elles lui paraissent à son goût…

2) Réponse A – De toutes ces émissions, j'aimerais surtout revoir celle qui se déroule en Italie.
Aucun doute possible puisque le pronom démonstratif, antécédent du sujet *qui*, doit être au singulier.

3) Réponse B – neutre
Ce est un pronom neutre qui forme avec le verbe *être* une locution démonstrative.

4) Réponse C – Je te confie les clés ; celle-ci ouvre la porte de gauche et celle-là la porte de droite.
Les deux pronoms démonstratifs sont au singulier ; une seule réponse possible.

5) Réponse D – Si tu ranges correctement tes affaires, cela te fera gagner du temps.
La seule hésitation peut porter sur les propositions A et D puisque le verbe est au singulier.
En prononçant la phrase à voix haute, on voit tout de suite que la réponse A est incorrecte.

6) Réponse B – féminin / singulier

7) Réponse D – Lorsque Champollion déchiffra les hiéroglyphes, ce fut le plus beau jour de sa vie.
La seule hésitation peut porter sur les propositions C et D puisque le verbe est au singulier. Mais la forme verbale débute par une consonne, donc le pronom n'est pas élidé.

8) Réponse A – Les oiseaux ont des ailes, mais connais-tu le nom de ceux qui ne volent pas ?
Le pronom démonstratif remplace *les oiseaux*, masculin pluriel ; seules les propositions A et D peuvent convenir. Mais la forme composée est incorrecte dans cette phrase.

Fiche 21. Les pronoms relatifs

1) Réponse D – Les planeurs qui frôlent les falaises profitent des vents ascendants.
Le pronom relatif est sujet du verbe *frôlent*, *les falaises* étant un COD ; on écarte donc la proposition B.

2) Réponse C – Peux-tu déplacer la chaise qui se trouve devant la porte ?
Le pronom relatif est sujet du verbe *se trouve*.

3) Réponse B – Patrick est quelqu'un auquel on peut se fier pour organiser un jeu.

4) Réponse A – L'île de Sainte-Hélène où mourut Napoléon Ier se trouve dans l'océan Atlantique.

5) Réponse A – la personne
Le pronom relatif est au féminin singulier ; une seule réponse possible.

6) Réponse B – Le feuilleton dans lequel jouent des acteurs débutants rencontre un franc succès.
L'antécédent du pronom relatif est *le feuilleton*, masculin singulier.

7) Réponse C – Je dois porter des lunettes de soleil sans lesquelles je ne peux pas skier.
L'antécédent du pronom relatif est *les lunettes*, féminin pluriel.

8) Réponse C – rien
On peut reformuler la phrase : « Dans cette caisse à outils, un mécanicien ne peut se servir de rien. »
On trouve ainsi que le pronom relatif *dont* remplace le pronom indéfini *rien*.

Fiche 22. Les pronoms interrogatifs

1) **Réponse C – Qui d'entre vous occupera le poste d'avant-centre ?**
Le verbe est conjugué à la 3e personne du singulier, ce qui exclut la proposition A. Les propositions B et D conduiraient à des phrases incorrectes.

2) **Réponse D – Que cherchait Christophe Colomb lorsqu'il partit vers l'ouest ?**

3) **Réponse D – De Mozart ou de Voltaire, lequel était musicien ?**
Le verbe est conjugué à la 3e personne du singulier, ce qui exclut la proposition C.

4) **Réponse B – Combien vaut cette raquette de tennis ?**
Le verbe *valoir* donne une indication de quantité.

5) **Réponse C – Nous ne savons pas à qui nous allons demander ce renseignement.**
Le pronom interrogatif *qui* permet d'interroger une personne.

6) **Réponse D – Qui est-ce qui peut m'aider à déplacer ce meuble ?**
À l'écrit, ce mode d'interrogation n'est pas conseillé ; il appartient au langage familier. On écrit de préférence : « Qui peut m'aider à déplacer ce meuble ? »

7) **Réponse B – Lorsqu'on l'interrogea, ce candidat ne sut que répondre.**
Le sens guide la réponse.

8) **Réponse A – C'est incroyable ! Dans cet orchestre, on se demande qui fait quoi.**

Fiche 23. Les adverbes et les locutions adverbiales

1) **Réponse D – Le réfrigérateur est presque vide ; il faudra faire des commissions.**

2) **Réponse A – Sous l'effet du gel, la chaussée se transforma bientôt en patinoire !**
La réponse B ne pourrait convenir que si on voulait donner un sens humoristique à la phrase.

3) **Réponse C – Vous ne trouverez nulle part un fauteuil aussi confortable.**
La présence de la première partie de la négation (*ne*) impose la réponse C ➜ *nulle part*.

4) **Réponse D – adverbe de manière**

5) **Réponse B – trop**

6) **Réponse C – Il fait froid dans le gymnase, mais dehors, c'est encore pire.**

7) **Réponse B – adverbe de temps**

8) **Réponse A – Lorsqu'elle vit les acrobates sauter si haut, Amélie ouvrit des yeux ronds.**
Le premier mot à placer est un adverbe, donc invariable ; le second est un adjectif qualificatif qui s'accorde avec le nom *yeux*.

Fiche 24. Les adverbes de manière en -ment

1) **Réponse C – gentiment**
Cet adverbe est une exception à la règle habituelle de formation à partir de l'adjectif féminin.
RAPPEL Lorsque l'on a des doutes sur l'orthographe d'un mot, il est conseillé de consulter un dictionnaire.

2) **Réponse A – Le réglage des brûleurs de la chaudière est effectué régulièrement.**
Le féminin de l'adjectif *régulier* est *régulière*, avec un accent grave que l'on retrouve dans l'adverbe.

3) **Réponse D – couramment**
Pour la formation de cet adverbe, se référer au paragraphe « Je progresse » de la fiche 24.

Corrigés

4) Réponse C – Trop lent, ce coureur ne pourra évidemment pas rejoindre le peloton.
Pour la formation de cet adverbe, se référer au paragraphe « Je progresse » de la fiche 24.

5) Réponse B – La colle est apparemment sèche, mais attendez encore un instant.

6) Réponse B – Vos parents n'apprécient nullement que vous agissiez inconsciemment.
Le premier adverbe est formé à partir de l'adjectif féminin *nulle*. L'adjectif sur lequel est formé le second adverbe est *inconscient*.

7) Réponse D – nom commun / adverbe
La présence de l'article devant *changement* ne laisse qu'une seule possibilité de réponse.

8) Réponse A – On ne peut pas impunément violer les règles du code de la route.
Cet adverbe est une exception à la règle de formation à partir de l'adjectif masculin terminé par *-i*.
RAPPEL Lorsque l'on a des doutes sur l'orthographe d'un mot, il est fortement conseillé de consulter un dictionnaire.

Fiche 25. Les prépositions

1) Réponse A – Mme Combier achète sa viande chez le boucher de son quartier.
L'emploi de la préposition *au* (réponse B) est incorrect dans ce cas.

2) Réponses B / A – à l'intérieur
L'emploi de la locution prépositive *en dedans*, contraire de *en dehors*, n'est pas incorrect, mais il est archaïque.

3) Réponse D – L'orchestre a joué pendant trois heures ; les musiciens sont épuisés.

4) Réponse C – pour / à

5) Réponse C – À moins d'un miracle, les travaux ne seront pas terminés dans les délais.
On peut rechercher le sens de la locution *à l'insu de* dans un dictionnaire. Le sens permet de retenir la proposition C plutôt que la D qui, grammaticalement, n'est pas incorrecte.

6) Réponse A – Pour éviter les flaques d'eau, tu marches le long du trottoir.
Si, pour la première préposition, on a le choix entre A, C et D, pour la seconde préposition, un seul choix est possible : *le long du*.

7) Réponse B – Le motard se faufile entre les voitures et les camions.

8) Réponse C – Selon son habitude, Ophélie fait son lit avant de partir à l'école.
Si on prononce la phrase à voix haute, parmi toutes les propositions, seule la C peut être retenue ; les autres sont incohérentes ou incorrectes.

Fiche 26. Les conjonctions de coordination

1) Réponse B – Appelle-moi ou envoie-moi un SMS pour annoncer ton arrivée.
Les deux verbes *appelle* et *envoie* évoquent une alternative qui impose le choix de *ou*.

2) Réponse A – Prends un bonnet et des gants, sinon tu vas avoir froid.
Le sens conduit au choix de *sinon*, puisque la deuxième proposition serait la conséquence d'une non-prise d'un bonnet et de gants. On aurait pu écrire : « Si tu ne prends pas un bonnet et des gants, tu vas avoir froid. »

3) Réponse C – Ta tablette ne fonctionne pas car tu n'as pas rechargé la batterie.
La seconde partie de la phrase est la conséquence de la première.

4) Réponse D – Au petit matin, les randonneurs sont partis sans tambour ni trompette.
Autrefois, les troupes militaires partaient au combat accompagnées de musiciens, tambours et trompettes essentiellement, dont les airs étaient censés encourager les combattants. L'expression *sans tambour ni trompette* a été conservée pour signifier *sans bruit, discrètement*, à l'inverse des militaires d'antan…

5) Réponse B – Tu croyais avoir marqué, mais le poteau a renvoyé le ballon.
Il y a opposition entre les deux parties de la phrase ; le choix B s'impose logiquement, même si les réponses A et C sont grammaticalement correctes.

6) Réponse A – On croit que la Terre est immobile, pourtant elle tourne sur elle-même.
Là encore, il y a opposition entre les deux parties de la phrase.

7) Réponse D – Ces fruits sont sains ; en effet, ils mûrissent sans apports chimiques.

8) Réponse C – Les platanes perdent leurs feuilles en automne, de même que les marronniers.
Une lecture à haute voix conduit à ne retenir que la locution *de même*.

Fiche 27. Les conjonctions de subordination

1) Réponse A – Lorsque les glaces polaires auront fondu, le niveau des mers montera.
Le verbe de la subordonnée est au futur antérieur, l'action se produira donc avant que le niveau des mers monte. Seule la conjonction *lorsque* permet cette antériorité. Avec la conjonction *puisque*, le verbe aurait été au présent de l'indicatif.

2) Réponse C – Alison boit un grand verre d'eau afin que cesse son hoquet.
Pour répondre correctement, il suffit de se laisser guider par le sens ; la subordonnée est complément de but : « Pourquoi Alison boit-elle un grand verre d'eau ? Afin que cesse son hoquet. »

3) Réponse B – Pour que nous nous entendions, il faudrait baisser le son du téléviseur.
Là encore, la subordonnée est complément de but.

4) Réponse A – Tandis que la caissière enregistre les achats, Mme Fraix prépare sa carte bancaire.
Les deux actions, celle de la subordonnée et celle de la principale, sont simultanées. La subordonnée est un complément de temps.

5) Réponse D – M. Weber constate avec stupeur que ses pneus sont à plat.

6) Réponse B – Alors qu'il n'a que huit ans, Olivier dessine déjà des personnages sur ses cahiers.

7) Réponse D – quand
Beaucoup, *plus* et *vite* sont des adverbes.

8) Réponse C – Depuis que la vitesse est limitée sur cette route, il y a moins d'accidents.
Le verbe de la subordonnée est à l'indicatif. Les trois autres locutions conjonctives exigeraient un verbe au subjonctif.

2. LA PHRASE ET LE VERBE

28   Les différents types de phrases (1)

JE RETIENS

● La **phrase déclarative** fournit une **information**. Elle se termine par un **point**. L'intonation est descendante.

> *On admire de superbes bracelets dans la vitrine de la bijouterie.*

● La **phrase interrogative** pose une **question**. Elle se termine par un **point d'interrogation**. L'intonation est montante. + rising

▸ On dit que l'interrogation est **totale** lorsqu'on peut y répondre par **oui** ou par **non** : *As-tu une pièce de un euro pour prendre un Caddie ?*

▸ On dit que l'interrogation est **partielle** lorsqu'on y répond en donnant une information : *Quelle heure est-il ?*

JE PROGRESSE

● La phrase interrogative peut commencer par un **mot interrogatif** (déterminant, pronom, adverbe), parfois précédé d'une préposition, ou par l'expression *est-ce que*.

> *Qui a laissé la porte du garage ouverte ?*
> *Dans quel sport Tony Parker s'illustre-t-il ?*
> *Où l'agriculteur range-t-il son matériel ?*
> *Les autruches courent vite, mais est-ce qu'elles volent ?*

● On peut aussi former une phrase interrogative en **inversant le sujet**.

▸ Lorsque le sujet est un pronom personnel, il est placé après le verbe et lié à lui par un trait d'union : *Savez-vous comment on fabrique les vitraux ?*

▸ Dans les autres cas, le sujet est repris par un pronom personnel placé après le verbe : *Les coraux sont-ils des animaux ou des plantes ?*

POUR EN SAVOIR PLUS

● À l'oral ou en langage familier, l'interrogation peut être exprimée simplement par l'intonation. Dans ce cas, seul le point d'interrogation distingue la phrase interrogative de la phrase déclarative.

> *Tu joues aux échecs ?*   *Vous irez à la piscine demain ?*

● Pour interroger quelqu'un, on peut également utiliser une **proposition subordonnée interrogative indirecte**, qui dépend d'un verbe de la principale exprimant une interrogation.

> *Je me demande si vous avez bien compris.*   *Dis-moi où tu vas en vacances.*

REMARQUE Dans ce cas, la phrase n'est pas terminée par un point d'interrogation.

JE M'ENTRAÎNE

1) Quelle phrase interrogative correspond à cette phrase déclarative ?

Cet épagneul a remporté le premier prix du concours canin.

A. ☐ Quel chien a remporté le premier prix du concours canin ?
B. ☐ Où a eu lieu le concours canin ?
C. ☐ Quand a eu lieu le concours canin ?
D. ☐ Quelle est la race de l'épagneul ?

2) Quel signe de ponctuation faut-il placer à la fin de cette phrase ?

Le travail à la chaîne est-il fatigant

chaîn (Stone)

A. ☐ virgule   B. ☐ point simple
C. ☑ point d'interrogation   D. ☐ point-virgule

3) Quelle est la seule phrase interrogative qui ne correspond pas à cette phrase déclarative ?

Je l'ai imprimé en quatre couleurs.

A. ☐ En combien de couleurs as-tu imprimé le document ?
B. ☐ As-tu imprimé le document en couleurs ?
C. ☑ Qu'as-tu imprimé en quatre couleurs ?
D. ☐ Qu'as-tu fait du document ?

4) Quel signe de ponctuation faut-il placer à la fin de cette phrase ?

Le train a déraillé à la sortie de la gare

A. ☐ point d'interrogation   B. ☑ point simple
C. ☐ virgule   D. ☐ point-virgule

5) Quel est le seul mot interrogatif qui ne peut pas compléter la phrase ?

... comptes-tu te rendre au bowling ?

A. ☐ Avec qui   B. ☐ Quand   C. ☐ Comment   D. ☑ Que

6) Quels mots interrogatifs complètent la phrase ?

.... différencie un éléphant d'Asie d'un éléphant d'Afrique ?

A. ☐ Pour qui   B. ☐ Avec quel   C. ☐ Sur quel   D. ☑ Qu'est-ce qui

7) Quel mot interrogatif complète la phrase ?

issued

... le plus vieux timbre du monde a-t-il été émis ?

A. ☑ Quand   B. ☐ Quoi   C. ☐ Quel   D. ☐ Qui

8) Quel est le seul mot interrogatif qui ne peut pas compléter la phrase ?

... cherches-tu dans le garage ?

A. ☐ Pourquoi   B. ☐ Qui   C. ☐ Que   D. ☑ Quoi

JE RETIENS

- La **phrase exclamative** permet d'exprimer des **sentiments** : joie, colère, étonnement, admiration, etc.

  ▸ Elle se termine par un **point d'exclamation** et l'intonation est montante.
  Ces feuilletons sont vraiment passionnants !

  ▸ Elle peut débuter par un **mot exclamatif**.
  Comme ces feuilletons sont passionnants !

- La **phrase impérative** (ou **injonctive**) exprime un **ordre**, une **interdiction**, un **conseil**, une **prière**, une **recommandation**. Elle se termine par un **point**.
  Rentrons à la maison sans tarder.

- Certaines phrases n'ont pas de verbe : ce sont des **phrases non verbales**, appelées aussi **phrases nominales**. On les trouve surtout dans les titres d'ouvrages, dans les articles de journaux.
  Tintin chez les Picaros   Lancement réussi de la navette spatiale
  REMARQUE Une phrase non verbale peut contenir un verbe conjugué, mais celui-ci n'est pas le noyau de la phrase ; il se trouve dans une expansion du nom.
  Enlèvement des véhicules qui stationnaient sur le trottoir.

JE PROGRESSE

- Les **phrases exclamatives** sont assez souvent construites **sans verbe**.
  Quel feuilleton passionnant !   Voilà un beau costume !

- La **phrase impérative** peut se terminer par un **point d'exclamation** si l'injonction est forte.
  Surtout, arrêtez-vous lorsque vous êtes devant un panneau Stop !

POUR EN SAVOIR PLUS

Le verbe d'une **phrase impérative** peut être conjugué :

▸ à l'**impératif** :
  Prends ton temps pour ranger tes affaires.

▸ au **subjonctif** :
  Puisqu'il insiste pour nous accompagner, qu'il vienne !

▸ à l'**infinitif** :
  Ne pas pénétrer dans le studio lors des enregistrements.

1) **Quel est le type de cette phrase ?**

L'équipe de France remporte une large victoire sur l'Italie.

A. ❑ phrase interrogative   B. ❑ phrase impérative

C. ☑ phrase déclarative   D. ❑ phrase exclamative

2) **Quel est le type de cette phrase ?**

La file d'attente devant le cinéma est vraiment impressionnante !

A. ❑ phrase interrogative   B. ❑ phrase impérative

C. ❑ phrase déclarative   D. ☑ phrase exclamative

3) **Quel est le type de cette phrase ?**

Ne touche pas à cette casserole brûlante !

A. ❑ phrase interrogative   B. ☑ phrase impérative

C. ❑ phrase non verbale   D. ❑ phrase exclamative

4) **Quel est le type de cette phrase non verbale ?**

Excellente réponse : félicitations !

A. ❑ phrase interrogative   B. ❑ phrase impérative

C. ❑ phrase déclarative   D. ☑ phrase exclamative

5) **Quel est le type de cette phrase ?**   Did you enjoy?

Ce spectacle vous a-t-il plu ?

A. ☑ phrase interrogative   B. ❑ phrase impérative

C. ❑ phrase déclarative   D. ❑ phrase exclamative

6) **Quel est le type de cette phrase ?**

Qu'as-tu fait de la bande dessinée que je t'avais prêtée ?

A. ❑ phrase exclamative   B. ❑ phrase impérative

C. ❑ phrase déclarative   D. ☑ phrase interrogative

7) **Quel est le type de cette phrase non verbale ?**

Interdiction de pénétrer dans cette zone.

A. ❑ phrase interrogative   B. ☑ phrase impérative

C. ❑ phrase déclarative   D. ❑ phrase exclamative

8) **Quel est le type de cette phrase ?**

Tout tremblant, le nageur sort de l'eau.

A. ☑ phrase déclarative   B. ❑ phrase impérative

C. ❑ phrase interrogative   D. ❑ phrase exclamative

2. LA PHRASE ET LE VERBE

81

JE RETIENS

● Dans un texte écrit, les **signes de ponctuation** guident le lecteur et facilitent la compréhension. Un texte mal ponctué peut être incompréhensible ou donner lieu à des contresens.

● **Les points en fin de phrase**

▸ Le **point simple** termine une phrase dont le sens est complet. On marque une pause. La phrase suivante commence par une majuscule.

Le supermarché est ouvert. Les clients sont nombreux à faire leurs achats.

▸ Le **point d'interrogation** termine une phrase interrogative. L'intonation est montante. On marque une pause (on attend la réponse).

Le supermarché est-il ouvert ?   Est-ce que le supermarché est ouvert ?

▸ Le **point d'exclamation** termine une phrase ayant un sens impératif ou exclamatif.

Allez vite faire vos achats !   Le supermarché est enfin ouvert !

▸ Les **points de suspension** terminent une énumération ou une phrase qui pourrait être prolongée.

Au supermarché, on trouve des jouets, des aliments, des vêtements...

À cette heure, le supermarché est peut-être ouvert...

english - suspension points (...)

JE PROGRESSE

La **virgule** permet de séparer les groupes de mots à l'intérieur d'une phrase. Elle indique une courte pause. On l'emploie pour :

▸ **séparer** des éléments de même nature :

Le supermarché est immense, bien approvisionné, facile d'accès, mais peu fréquenté.

▸ **mettre en valeur** des mots :

Le supermarché, chaque samedi, ferme à 22 heures.

▸ **isoler** un complément ou une proposition :

Quand vient l'heure de la fermeture, les employés quittent les lieux.

POUR EN SAVOIR PLUS donc = ainsi - so

and so on

etc. est une abréviation latine (*et cætera*) qui signifie « et ainsi de suite ». Elle équivaut à des points de suspension ; c'est pourquoi, elle est toujours suivie d'un point et jamais de points de suspension.

Au supermarché, on trouve de tout : des jouets, des aliments, des vêtements, des outils, des livres, etc.

1) Quel est le signe de ponctuation manquant dans cette phrase ?

*Dans quel pays se trouvent les chutes du Niagara ***

A. ☐ point simple
B. ☐ point d'exclamation
C. ☑ point d'interrogation
D. ☐ points de suspension

2) Quel signe de ponctuation doit-on placer à la fin de cette phrase ?

*Je crains que ma question ne reste sans réponse ***

A. ☐ virgule
B. ☐ point d'exclamation
C. ☐ point d'interrogation
D. ☑ points de suspension

3) Quel est le signe de ponctuation manquant dans cette phrase ?

*Sarah aime les fruits exotiques, les mangues, les ananas, les goyaves, etc ***

A. ☐ point d'exclamation
B. ☐ points de suspension
C. ☑ point simple
D. ☐ point d'interrogation

4) Quels sont les signes de ponctuation manquants dans cette phrase ?

*L'usine de chaussures * faute de commandes * vient de fermer ses portes ***

A. ☑ virgule / virgule / point simple
B. ☐ point simple / point simple / point d'interrogation
C. ☐ virgule / point d'exclamation / points de suspension

5) À quelle question correspond la réponse suivante ? ~~perfectly~~

Ce robot ménager fonctionne à merveille.

A. ☐ À merveille ! Il fonctionne le robot ménager.
B. ☑ Ce robot ménager fonctionne-t-il correctement ?
C. ☐ Qu'il fonctionne mal, ce robot ménager !

6) Quels sont les signes de ponctuation manquants dans cette phrase ?

*Pour traverser le Sahara * que faut-il emporter ***

A. ☐ point d'exclamation / points de suspension
B. ☑ virgule / point d'interrogation
C. ☐ virgule / point simple

7) Quels sont les signes de ponctuation manquants dans cette phrase ?

*L'ascension du mont Blanc * c'est une rude épreuve ***

A. ☑ virgule / point d'exclamation
B. ☐ point d'interrogation / point simple
C. ☐ points de suspension / virgule
D. ☐ point simple / point simple

8) Dans quelle phrase la ponctuation est-elle correcte ?

A. ☑ Nous allons démarrer, attachez vos ceintures.
B. ☐ Nous allons démarrer ? attachez vos ceintures…
C. ☐ Nous allons démarrer ! attachez vos ceintures,

start

83

corrigé page 103

JE RETIENS

● Le **point-virgule** sépare des propositions ou des expressions qui ont un lien relatif. Son emploi est délicat car il est proche du point ou de la virgule.

M. Léon a mal au dos ; il partira en cure à Aix-les-Bains.

Le point-virgule n'est pas suivi d'une majuscule.

● Le **deux-points** annonce une énumération, une explication, une citation.

Place les couverts sur la table : les couteaux, les fourchettes et les cuillères.

● Les **guillemets** encadrent les paroles que l'on cite ; ils signalent le début et la fin d'un dialogue. On les **ouvre** au début et on les **ferme** à la fin. L'ouverture des guillemets est souvent précédée d'un **deux-points**.

Le directeur est formel : « Toutes les classes se rendront à la piscine. »

quotation marks.

JE PROGRESSE

● Dans un dialogue, pour signaler le changement de personne qui parle, on place un **tiret** au début de la ligne (sauf pour la première).

L'architecte interroge le chef de chantier :
« Quand aurez-vous terminé les fondations ?
– Dans quatre jours, s'il ne pleut pas.
– N'oubliez pas de bien ferrailler les murs. »

● Parfois, il est important de préciser qui est la personne qui parle. Dans ce cas, on ne ferme pas les guillemets après ses premières paroles ; on place simplement une courte proposition entre deux virgules.

« Les travaux seront terminés dans quatre jours, déclare le chef de chantier, et je veillerai personnellement au ferraillage des murs. »

Cette proposition, appelée **incise**, n'est jamais précédée d'un point et ne commence jamais par une majuscule.

POUR EN SAVOIR PLUS

● Le **trait d'union** est un signe qui relie les deux termes d'un mot composé (*voir fiche 6*).

● On le place aussi entre le verbe et le pronom sujet à la forme interrogative. Il faut parfois ajouter la lettre **t** entre le verbe et le pronom.

Reviendrez-vous bientôt ?   *Le vent se calme-t-il ?*

● Il relie aussi le verbe à l'impératif et les pronoms compléments (*voir fiche 18*).

Donne-moi ta date de naissance. compass

Si tu n'as plus besoin de ton compas, prête-le-moi.

falloir - must, need, have to, take
composé - fallu . (avoir)
faudra - indicatif futur

JE M'ENTRAÎNE

1) **Quel est le signe de ponctuation manquant dans cette phrase ?**

Le pneu est à plat * il faudra s'arrêter à la station-service.

A. ☐ un point   B. ☑ un deux-points   C. ☐ un trait d'union

2) **Quels sont les signes de ponctuation manquants dans cette phrase ?**

La liste des pays producteurs de pétrole est longue * l'Arabie, la Russie, le Venezuela *

A ☐ une virgule / un point d'exclamation

B. ☑ un deux-points / des points de suspension

C. ☐ un point simple / un deux-points

3) **Quels sont les signes de ponctuation manquants dans cette phrase ?**

La sonorisation est en panne * le concert est annulé *

A. ☐ un point / un deux-points

B. ☐ un point d'interrogation / un point d'exclamation

C. ☑ un point-virgule / un point simple

4) **Quelle est la seule affirmation exacte ?**

A. ☐ On place une majuscule après un deux-points.

B. ☐ Les guillemets encadrent un discours indirect.

C. ☑ Dans un dialogue, il n'y a pas de tiret pour la première personne qui parle.

5) **Quels sont les signes de ponctuation manquants dans cette phrase ?**

sign *La pancarte est bien en évidence : * Fermeture annuelle ! **

A. ☐ des virgules   B. ☑ des guillemets   C. ☐ des traits d'union

6) **Quels sont les signes de ponctuation manquants dans cette phrase ?**

Décontenancée * Anita s'étonne * « Pourquoi n'irais-je pas avec vous * »

A. ☐ un deux-points / une virgule / un point simple

B. ☐ un point-virgule / un trait d'union / un point d'exclamation

C. ☑ une virgule / un deux-points / un point d'interrogation

7) **Quels sont les signes de ponctuation manquants dans cette phrase ?**

Le chef de gare est formel * * Le train partira à l'heure. *

A. ☑ un deux-points / des guillemets ouvrants / des guillemets fermants

B. ☐ une virgule / un point / un point

C. ☐ un point d'exclamation / une virgule / un tiret

8) **Quels sont les signes de ponctuation manquants dans cette phrase ?**

Un jour * l'homme s'installera peut * être sur Mars * qui sait *

A. ☑ une virgule / un trait d'union / un deux-points / un point d'interrogation

B. ☐ un deux-points / une virgule / un point simple / un point simple

C. ☐ un deux-points / un point simple / une virgule / un point d'exclamation

2. LA PHRASE ET LE VERBE

85

corrigé page 103

JE RETIENS

● Le **verbe** est l'**élément essentiel** de la phrase. Il permet d'exprimer ce qu'est, ce que fait, ce que pense, ce que subit le sujet.

Le soleil se lève.   *Ce film plaît aux jeunes enfants.*

● Le verbe **donne leur fonction** aux mots ou aux groupes de mots qui s'organisent autour de lui : sujets, compléments, attributs.

Les motards portent toujours un casque qui les protège en cas de chute.

● Un verbe se compose d'un **radical**, qui donne le sens, et d'une **terminaison**, qui **varie** selon le temps et la personne.

je port - ais   *il protég - era*   *tomb - er*
radical terminaison   radical terminaison   radical terminaison

JE PROGRESSE

● Lorsque **les verbes sont conjugués**, leur terminaison et, parfois, leur forme varient en fonction de la personne, du mode et du temps.

Lorsque vous circulez en moto, il faut que vous portiez un casque.

REMARQUE Pour de nombreux verbes, le radical reste le même dans toutes les formes verbales. Pour d'autres, en particulier les verbes du 3e groupe, la forme du radical varie selon le mode, le temps ou la personne.

aller ➜ *je vais – j'irai*   *voir* ➜ *je vois – je verrai*   *faire* ➜ *nous faisons – nous ferons*

● Lorsqu'il n'est pas conjugué, le verbe se présente sous une forme **invariable** : l'**infinitif**. C'est sous cette forme qu'il figure dans le dictionnaire.

dîner – essayer – bondir – surgir – vouloir – survivre...

POUR EN SAVOIR PLUS

On classe les verbes en **trois groupes** selon la terminaison de l'infinitif et leur conjugaison :

● **1er groupe** : tous les verbes dont l'infinitif se termine par -er (sauf *aller*).

ranger – tourner – marcher – penser – afficher...

● **2e groupe** : tous les verbes dont l'infinitif se termine par -ir et qui intercalent l'élément -ss- entre le radical et la terminaison dans certaines formes conjuguées.

choisir ➜ *choisissons*   *réussir* ➜ *réussissant*   *unir* ➜ *unissaient*

● **3e groupe** : tous les autres verbes, aux formes souvent irrégulières.

aller – descendre – asseoir – sentir – faire...

Among these

1) Parmi ces mots, quel est le seul verbe ?

A. ❑ plaisir   B. ❑ désir   C. ☑ saisir   D. ❑ loisir

2) Quel est le verbe conjugué de cette phrase ?

Les marais salants de l'île de Ré produisent beaucoup de sel.

A. ❑ marais   B. ❑ salants   C. ☑ produisent   D. ❑ beaucoup

3) Quel est l'infinitif du verbe dont voici des formes conjuguées ?

ils peignirent – tu peindras – qu'il peigne – vous peindriez

A. ❑ peigner   B. ☑ peindre   C. ❑ peiner   D. ❑ peinturer

4) À quel groupe appartient le verbe de cette phrase ? *flinch/shudder #tressaillir*

Seule dans la vaste maison, Diana tressaille au moindre bruit.

A. ❑ 1er groupe   B. ❑ 2e groupe   C. ☑ 3e groupe

5) Quel est le seul verbe du 2e groupe ?   *to weak*

A. ❑ vêtir *to dress*   B. ❑ mourir   C. ❑ courir   D. ☑ faiblir
    3ème   *3ème*   *3ème*   *2ème*

6) Quel est le seul verbe du 1er groupe ?

A. ☑ entourer   B. ❑ rire   C. ❑ aller   D. ❑ bouillir

7) Combien y a-t-il de verbes – conjugués ou non – dans la phrase ?

Lorsqu'il pleut, il arrive que les avions ne puissent pas atterrir.

A. ❑ 3   B. ☑ 4   C. ❑ 5   D. ❑ 6

8) Quel est l'infinitif du verbe souligné de cette phrase ?   *wants*

Il n'est pas certain que Quentin veuille m'accompagner.   *Subjon.*

A. ☑ vouloir   B. ❑ vouer   C. ❑ valoir   D. ❑ venir

2. LA PHRASE ET LE VERBE

corrigé page 103

JE RETIENS

Il existe différentes catégories (ou natures) de verbes.

appear
look
seem

- Les **verbes d'action** expriment une action faite ou subie par le sujet.
  Damien court.   *Le chanteur est accueilli par des applaudissements.*

- Les **verbes d'état** (*être, sembler, devenir, paraître*) indiquent une manière d'être ou d'exister. Ces verbes n'ont jamais de complément d'objet et sont généralement suivis d'un **attribut du sujet** (*voir fiche 52*).
  Damien est attentif.   *Ce train paraît complet.*   *Luc devient tout rouge.*

JE PROGRESSE

- Un **verbe transitif** est un verbe d'action qui peut avoir un **complément d'objet**, direct ou indirect.
  L'acteur apprend son texte.   *Nous assistons à un concert.*

- Un verbe **intransitif** n'a jamais de complément d'objet ; il ne peut pas être employé à la voix passive (*voir fiche 66*).
  L'enfant dort.   *La directrice arrive de bonne heure.*

  REMARQUE Certains verbes peuvent être soit transitifs, soit intransitifs, selon le sens.
  Je suis sorti à 9 heures.   *J'ai sorti mon petit chien.*

- Un **verbe pronominal** est accompagné d'un **pronom personnel réfléchi**, c'est-à-dire de la même personne que le sujet. *wary / prudent / careful*
  je me peigne – tu te douches – elle se méfie – nous nous enfuyons *run*
  To comb

  ▸ À l'infinitif, le pronom réfléchi est de la 3ᵉ personne. *escape away*
  se peigner – se doucher – se méfier – s'enfuir
  to faint

  ▸ Certains verbes ne s'emploient qu'à la forme pronominale (*s'évanouir, s'écrier, s'envoler, se blottir...*) ; *nuzzle* d'autres ne sont qu'occasionnellement pronominaux (*donner / se donner ; habiller / s'habiller ; prendre / se prendre...*).

- Un **verbe impersonnel** ne s'emploie qu'à la 3ᵉ personne du singulier. Le sujet *il* ne désigne pas quelqu'un : il est impersonnel, c'est un sujet grammatical.
  Il pleut beaucoup.   *Il neige parfois.*   *Il faut s'abriter.*

POUR EN SAVOIR PLUS

- Certains verbes à l'infinitif peuvent se confondre avec des noms.
  Ils aiment rire.   *Le rire est le propre de l'homme.*

- Un verbe à l'infinitif peut avoir une fonction dans la phrase.
  Il n'a pas voulu céder. ➜ *céder* : COD de *a voulu*

flea market

1) Quelle est la nature du verbe dans cette phrase ?

À *la brocante, les visiteurs farfouillent dans les caisses des vendeurs.*

A. ❏ verbe impersonnel   B. ❏ verbe pronominal

C. ❏ verbe transitif   D. ☑ verbe intransitif

2) Quel verbe transitif complète la phrase ?

À Roncevaux, Roland … son épée contre un rocher.

Wave (verbe)

A. ❏ se brisa   B. ❏ se sépara   C. ☑ fracassa   D. ❏ flancha

to break (pdte comp.)   *smash*

3) Quelle est la nature du verbe dans cette phrase ?

Ce boulanger se fournit en farine auprès d'une minoterie des environs.

A. ❏ verbe impersonnel   B. ☑ verbe pronominal

C. ❏ verbe transitif   D. ❏ verbe intransitif

4) Quel verbe intransitif complète la phrase ?

L'arbitre … pour séparer les deux judokas.

A. ☑ intervient   B. ❏ libère   C. ❏ limite   D. ❏ neutralise

5) Quelle est la nature du verbe dans cette phrase ?

La surface du lac réfléchit la lumière du soleil.

A. ❏ verbe impersonnel   B. ❏ verbe pronominal

C. ☑ verbe transitif   D. ❏ verbe intransitif

6) Quel verbe d'état complète la phrase ?

Ce stade … immense avec ses cent mille places !

A. ❏ construit   B. ❏ renferme   C. ❏ dispose   D. ☑ paraît

contain

7) Quelle est la nature des verbes dans cette phrase ?

Il convient que vous respectiez le règlement scolaire.

A. ❏ verbe transitif / verbe d'état

B. ☑ verbe impersonnel / verbe transitif

C. ❏ verbe pronominal / verbe transitif

D. ❏ verbe intransitif / verbe impersonnel

8) Quelle est la nature des verbes dans cette phrase ?

Les olives sont mûres, donc la cueillette commencera dès demain.

A. ☑ verbe d'état / verbe intransitif   B. ❏ verbe pronominal / verbe d'état

C. ❏ verbe transitif / verbe transitif   D. ❏ verbe d'état / verbe impersonnel

corrigé page 104

JE RETIENS

● On appelle **auxiliaires** les verbes *être* et *avoir*, car ils permettent de former les **temps composés** de tous les verbes.

Tu as <u>éteint</u> ton ordinateur avant de quitter la classe.
Les feuilles sont <u>sorties</u> froissées de l'imprimante.

● Les verbes *être* et *avoir* peuvent aussi être employés seuls, avec leur sens propre ; ils n'appartiennent à aucun groupe.

Comme Félix a dix ans, il est au cours moyen 2e année.

JE PROGRESSE

● Aux temps composés, c'est le participe passé du verbe conjugué qui indique l'action ou l'état. L'**auxiliaire** varie, lui, selon la personne, le mode et le temps.

Lorsque tu auras <u>éteint</u> ton ordinateur, tu sortiras.
Lorsque tu as <u>éteint</u> ton ordinateur, tu sors.

REMARQUE L'accord du participe passé obéit à des règles différentes selon l'auxiliaire utilisé, et selon la construction de la phrase *(voir fiches 38 et 39)*.

● La majorité des **verbes transitifs** se conjuguent avec l'auxiliaire *avoir*.

Quand il a <u>appris</u> la bonne nouvelle, il a aussitôt <u>prévenu</u> ses parents.

● Les **verbes pronominaux** se conjuguent avec l'auxiliaire *être*, de même que quelques verbes désignant un état ou un changement d'état (*partir, demeurer, rester, arriver, aller, entrer, sortir…*).

Le vase est <u>tombé</u> et il s'est <u>brisé</u> en mille morceaux.

ATTENTION Certains verbes peuvent, selon le sens, être conjugués soit avec l'auxiliaire *avoir*, soit avec l'auxiliaire *être*.

J'ai <u>sorti</u> ma tablette de son étui.   *Je suis <u>sortie</u> la dernière en récréation.*

POUR EN SAVOIR PLUS

● Aux temps composés, les deux auxiliaires se conjuguent avec l'auxiliaire *avoir*.

Ma mère <u>a été</u> la seule à me soigner lorsque j'ai <u>eu</u> la grippe.

● Les verbes à la voix passive se conjuguent toujours avec l'auxiliaire *être* *(voir fiche 66)*.

L'impression de froid est accentuée par le vent du nord.
Un panneau routier a été renversé par un chauffard.

1) Quelle forme verbale complète la phrase ?

Tu ... ton nom et ton prénom sur le formulaire.

A. ☑ as inscrit   B. ☐ es inscrit   C. ☐ avait inscrite   D. ☐ était inscrite

2) Quelle forme verbale complète la phrase ?

Ces jumeaux ... à un quart d'heure d'intervalle.

A. ☐ est né   B. ☐ était nés   C. ☑ sont nés   D. ☐ avaient né

3) Quel est l'infinitif du verbe conjugué de cette phrase ?

Près de l'arrivée, le coureur belge a été retardé par une crevaison.

A. ☐ arriver   B. ☐ avoir   C. ☐ être   D. ☑ retarder

4) Complète la phrase avec l'auxiliaire qui convient.

Vous ... tressé des brins de rotin pour confectionner une corbeille.

A. ☑ avez   B. ☐ serez   C. ☐ avaient   D. ☐ étiez

5) Quelle forme verbale complète la phrase ?

On ne sait pas pourquoi les dinosaures ... de la surface de la Terre.

A. ☐ seront disparus   B. ☐ étaient disparu

C. ☑ ont disparu   D. ☐ ont été disparu

6) Quelles formes verbales complètent la phrase ?

Un orage ... et ... de nombreuses toitures.

A. ☐ a survenu / est endommagé

B. ☐ était survenir / avait endommager

C. ☐ serait survenu / serait endommagé

D. ☑ est survenu / a endommagé

7) Quelles formes verbales complètent la phrase ?

Les cerises ... sur l'arbre, car personne ne les ... .

A. ☐ ont resté / aviez cueilli   B. ☑ sont restées / a cueillies

C. ☐ était restées / était cueillies   D. ☐ serais restées / aurait cueillies

8) Complète la phrase avec les auxiliaires qui conviennent.

Cet imprudent ... descendu l'escalier quatre à quatre et il ... tombé.

A. ☐ est / es   B. ☑ a / est   C. ☐ avais / avais   D. ☐ es / as

2. LA PHRASE ET LE VERBE

corrigé page 104

JE RETIENS

- Le **participe passé** est une forme verbale qui peut être employée :
▸ dans les **temps composés** avec les auxiliaires *être* et *avoir*.
  L'avion a perdu de la vitesse et il s'est posé sans encombre.
▸ comme **adjectif qualificatif** épithète, attribut ou mis en apposition.
  La viande hachée est au réfrigérateur.
  Épuisé par le match, tu t'es allongé.
- Le **participe présent** peut être employé :
▸ comme **adjectif qualificatif** ; il est alors **variable**.
  des pommades calmantes   *Ils sont surprenants.*
▸ comme **forme verbale** ; il est alors **invariable**.
  Courant trop vite, il ne put éviter l'obstacle.

JE PROGRESSE

- Les participes passés des verbes du **1er groupe** se terminent tous par **-é.**
  fermé – trié – stationné – roulé - regardé
- Les participes passés des verbes du **2e groupe** se terminent tous par **-i.**
  réuni – subi – réagi – ralenti – désobéi
- Les terminaisons des participes passés des verbes du **3e groupe** sont diverses.

  vendre → vendu   partir → parti   couvrir → couvert   mourir → mort
  faire → fait   prendre → pris   naître → né   craindre → craint

  REMARQUE On peut parfois trouver la terminaison de ces participes passés en les employant comme adjectifs qualificatifs avec des noms féminins ; on entend alors la lettre finale.

  frire → des pommes frites   asseoir → une place assise

- Les **accords** des participes passés des temps composés obéissent à des règles particulières *(voir fiches 38 et 39).*

POUR EN SAVOIR PLUS

Il **ne faut pas confondre le participe passé et l'infinitif** des verbes du 1er groupe qui se terminent par le son [e].

Pour rédiger cette lettre, tu as utilisé un traitement de texte.

Pour les distinguer, il faut essayer de remplacer le verbe du 1er groupe par un verbe du 2e ou du 3e groupe ; on entend alors la différence à l'oral.

Pour écrire cette lettre, tu as choisi un traitement de texte.

JE M'ENTRAÎNE

séduire - séduit

1) Quel participe passé complète la phrase ?

Les visiteurs sont ... par l'audace de ce jeune peintre.

A. ☐ séduites   B. ☐ séduis   C. ☑ séduits   D. ☐ séduite

2) Quel participe passé complète la phrase ?

Avez-vous ... les consignes ?

A. ☑ compris   B. ☐ compri   C. ☐ comprit   D. ☐ comprites

3) Quel est l'infinitif correspondant au participe passé *commis* ?

A. ☐ communiquer   B. ☑ commettre

C. ☐ commencer   D. ☐ communier

4) Quel participe passé complète la phrase ?

Florian a ... le problème sans l'aide de sa calculatrice.

A. ☐ résout   B. ☐ résoudi   C. ☐ résous   D. ☑ résolu

5) Quel est le participe passé du verbe *conquérir* ?

A. ☐ conquéri   B. ☑ conquis   C. ☐ conquit   D. ☐ conqui

6) Quelle forme verbale complète la phrase ?

La dépanneuse ... pour remorquer la voiture accidentée.

A. ☐ a intervenu   B. ☐ est intervenie

C. ☑ est intervenue   D. ☐ était intervient

7) Quelles formes verbales complètent la phrase ?

Pour ... ce paysage, j'ai ... mon portable.

A. ☐ photographié / utiliser   B. ☐ photographier / utiliser

C. ☐ photographié / utilisé   D. ☑ photographier / utilisé

8) Quelles formes verbales complètent la phrase ?

Avec la parabole ... plus de cent chaînes, on peut ... un home cinéma !

A. ☑ captant / installer   B. ☐ capté / installé

C. ☐ capter / installé   D. ☐ installant / captées

2. LA PHRASE ET LE VERBE

93

corrigé page 105

36 · L'accord du verbe

JE RETIENS

Le verbe s'accorde toujours avec le sujet (ou le mot principal du groupe sujet). Pour **trouver le sujet,** on pose la question « **qui est-ce qui ?** » (ou « **qu'est-ce qui ?** ») devant le verbe.

L'apiculteur porte une tenue spéciale pour recueillir le miel.
→ Qui est-ce qui *porte une tenue spéciale ?* → *L'apiculteur* = 3ᵉ pers. du singulier.

Les places de stationnement gratuit se font rares.
→ Qu'est-ce qui *se fait rare ?* → *Les places* = 3ᵉ pers. du pluriel.

JE PROGRESSE

Le **sujet** peut être :
▸ un **nom** : *Les falaises dominent la mer déchaînée.*
▸ un **pronom personnel** : *Nous corrigeons nos erreurs.*
▸ un **pronom démonstratif** : *Ce film est trop long ; celui-ci est plus court.*
▸ un **pronom possessif** : *Mon portable est rouge ; le tien est noir.*
▸ un **pronom indéfini** : *Certains maîtrisent leurs réactions.*
▸ un **pronom relatif** : *J'aime ces contes qui me rappellent l'école maternelle.*
▸ un **pronom interrogatif** : *Qui répondra le premier ?*
▸ un **adverbe** : *Peu ont la patience de terminer leur maquette.*
▸ un **verbe à l'infinitif** : *Fuir devant le danger n'est pas très courageux.*
▸ une **proposition subordonnée** : *Que le bruit cesse soulagerait nos oreilles.*

POUR EN SAVOIR PLUS

● Un verbe qui a **deux sujets au singulier** se met au **pluriel**.
Le Lot et le Tarn se jettent dans la Garonne.

● Un verbe qui a **deux pronoms sujets** désignant des personnes différentes se met :
▸ à la 1ʳᵉ **personne du pluriel** : *Eux et moi viendrons te voir.*
▸ ou à la 2ᵉ **personne du pluriel** : *Elle et toi êtes mes amies favorites.*

● Lorsque le groupe sujet est un infinitif ou une proposition subordonnée, le verbe s'accorde toujours à la 3ᵉ personne du singulier.
Que tu dises la vérité témoignerait de ta loyauté.

● Lorsque le sujet est placé après le verbe, on dit qu'il y a inversion du sujet.
La cible que visent les archers est à 50 mètres.

1) **Quel est le sujet du verbe de cette phrase ?**

Mes camarades m'appellent souvent par mon surnom.

A. ☑ Mes camarades   B. ❑ m'   C. ❑ souvent   D. ❑ mon surnom

2) **Quel verbe complète cette phrase ?**

Quelques coups de pinceau ... pour transformer cette pièce.

A. ❑ suffit   B. ☑ suffisent   C. ❑ suffisait   D. ❑ suffira

3) **Quel est le sujet du verbe de cette phrase ?**

À 200 mètres de l'arrivée surgissent les coureurs échappés.

A. ❑ À 200 mètres   B. ❑ mètres

C. ❑ l'arrivée   D. ☑ les coureurs échappés

4) **Quel verbe complète cette phrase ?**

L'hyène et le vautour ... de charognes.

A. ☑ se nourrissent   B. ❑ se nourrit

C. ❑ se nourrira   D. ❑ se nourrissait

5) **Quels verbes complètent cette phrase ?**

Il ... encore des moutons qui ... tout l'été dans la montagne.

A. ❑ existent / passent   B. ❑ existait / passait

C. ☑ existe / passent   D. ❑ existaient / passaient

6) **Quels sont les sujets du verbe de cette phrase ?**

La télévision et le téléphone rapprochent les habitants de toute la planète.

A. ❑ La télévision / les habitants   B. ❑ le téléphone / la planète

C. ☑ La télévision / le téléphone   D. ❑ les habitants / la planète

7) **Quels verbes complètent cette phrase ?**

Que tu ... refuser cette proposition nous ... .

A. ❑ peut / étonnent   B. ☑ puisses / étonne

C. ❑ puisse / étonnent   D. ❑ pourras / étonneras

8) **Quel verbe complète cette phrase ?**

- *Les changements de direction du vent ... l'atterrissage de la montgolfière.*

A. ❑ contrarie   B. ❑ contrariait   C. ❑ contraira   D. ☑ contrarient

corrigé page 105

JE RETIENS

● Chaque **type de phrase** *(voir fiches 28 et 29)* peut prendre **deux formes** :

▷ la forme **affirmative** :
Ces feuilletons sont vraiment passionnants !
As-tu une pièce de un euro pour prendre un Caddie ?

▷ la forme **négative** :
Ces feuilletons ne sont vraiment pas passionnants !
Je n'ai plus de pièces de un euro pour prendre un Caddie.

● La **négation** porte toujours sur le verbe, encadré par les éléments de la **locution négative** (qui sont le plus souvent des adverbes).

▷ Les principales **locutions négatives** :
La France ne possède pas de gisements de pétrole.
Ce concert n'attire guère de spectateurs.
Je ne retiendrai jamais un texte aussi long.
Valérie ne comprend rien à l'écriture chinoise.
Ce robot électrique ne fonctionne plus.
Il n'y a qu'un hélicoptère qui puisse se poser sur ce terrain.
Diego n'aime ni les pizzas ni les quiches lorraines.

REMARQUE Devant un verbe débutant par une **voyelle** ou un **h muet**, la première partie de la négation s'élide.

JE PROGRESSE

● Dans les temps composés, la négation encadre l'auxiliaire ou, parfois, l'auxiliaire et l'adverbe.
Pourquoi le chien n'a-t-il pas aboyé ?
Les travaux ne seront sans doute pas terminés dans les délais prévus.

● La négation se place avant le verbe lorsqu'il est à l'infinitif.
Mieux vaut ne pas oublier de prendre un parapluie.

● La phrase négative peut débuter par la seconde partie de la négation.
Rien n'arrêtera l'homme, mais jamais il n'ira au centre de la Terre.

POUR EN SAVOIR PLUS

Les types et les formes de phrases peuvent se combiner. Une phrase **interro-négative**, par exemple, est une interrogation qui pousse l'interlocuteur à accepter.
Ne crois-tu pas qu'il serait bon que tu manges moins de chocolat ?

1) Complète la phrase avec le mot qui convient.

Lorsqu'il utilise un poste à soudure, M. Lamy ne prend ... de risques.

A. ☐ ni   B. ☐ toujours   C. ☐ beaucoup   D. ☑ jamais

2) Quel mot manque dans cette phrase ?

Nous avons aucune raison de nous inquiéter.

A. ☐ ne   B. ☐ ni   C. ☑ n'   D. ☐ non

3) Complète la phrase avec le mot qui convient.

... ne peut traverser ce torrent sans se mouiller !

A. ☐ Jamais   B. ☐ Peu   C. ☐ Certains   D. ☑ Personne

4) Quels sont le type et la forme de cette phrase ?

Ce matin, il y a peu d'animation au marché.

A. ☐ type interrogatif / forme négative
B. ☑ type déclaratif / forme affirmative
C. ☐ type déclaratif / forme négative
D. ☐ type exclamatif / forme affirmative

5) Par quel mot peut-on remplacer le mot souligné ?

Il n'y a pas de neige au sommet du mont Blanc.

A. ☐ plutôt   B. ☑ ni   C. ☑ plus   D. ☐ autant

6) Quels mots manquent pour que la phrase soit à la forme négative ?

Dans ce quartier, on voit des immeubles neufs.

A. ☑ ne ... que   B. ☐ ne ... ni   C. ☐ ni ... ni   D. ☐ ne ... mal

7) Complète la phrase avec les mots qui conviennent.

Il n'a ... plu depuis un mois ; il n'y a ... d'eau dans le réservoir.

A. ☐ encore / que   B. ☑ pas / plus
C. ☐ jamais / encore   D. ☐ vraiment / nullement

8) Quels sont le type et la forme de cette phrase ?

En cas d'incendie dans un immeuble, ne prenez surtout pas l'ascenseur.

A. ☑ type impératif / forme négative
B. ☐ type déclaratif / forme affirmative
C. ☐ type interrogatif / forme négative
D. ☐ type exclamatif / forme affirmative

especially
mainly
above all

corrigé page 106

JE RETIENS

Le **participe passé employé avec l'auxiliaire** <u>être</u> **s'accorde** en <u>genre</u> et en <u>nombre</u> **avec le sujet** (nom ou pronom) du verbe.

M.S <u>Le paquet</u> <u>est</u> arrivé à bon port.   F.S <u>La marchandise</u> <u>est</u> arrivée à bon port.

M.P <u>Les paquets</u> <u>sont</u> arrivés à bon port.   <u>Les marchandises</u> <u>sont</u> arrivées à bon port. F. P.

JE PROGRESSE

● Pour les **deux premières personnes du singulier et du pluriel**, seule la personne qui écrit et qui connaît le sujet peut déterminer le genre : masculin ou féminin.

remain

Je suis <u>resté</u> sans voix. → C'est un garçon qui parle.

Tu es restée sans voix. → On parle à une fille.

Nous sommes restées sans voix. → Ce sont des filles qui parlent.

Vous êtes restés sans voix. → On parle à des garçons.

rester ≠ reposer (remain) appui appuyer reste

● Quand il y a **plusieurs sujets** pour un même verbe, le participe passé se met au **masculin pluriel** si au moins l'un des sujets est masculin.

Ces chaises et ce fauteuil <u>sont</u> restaurés par un ébéniste.

● Lorsque le participe passé suit l'auxiliaire être **à l'infinitif**, il s'accorde avec le nom auquel il se rapporte.

Afin d'<u>être</u> secourus, les naufragés lancent des fusées d'alerte.

Pour ne pas <u>être</u> reconnues, certaines personnes portent un masque.

POUR EN SAVOIR PLUS

● L'auxiliaire être peut lui-même être conjugué à un temps composé. Le participe passé qui suit cette forme composée s'accorde toujours avec le sujet.

REMARQUE Le participe passé du verbe être (été) est toujours invariable.

Le linge <u>a été</u> repassé. *ironed* La chemise <u>a été</u> repassée. *(have been)*

Les draps ont <u>été</u> repassés.   Les chemises ont <u>été</u> repassées.

● Se conjuguent avec l'auxiliaire être :

▸ certains verbes exprimant un **mouvement** ou un **changement d'état** : aller – arriver – entrer – partir – rester – sortir – venir – naître – tomber...

▸ les verbes **pronominaux** : Les enfants se sont tus. *→ taire = shut up/withhold*

▸ les verbes à la **voix passive** (voir fiche 66) : Les clients sont attirés par les soldes.

JE M'ENTRAÎNE

hall

1) Complète la phrase avec le participe passé qui convient.

L'inscription est à moitié ... sur le poteau indicateur.

A. ☐ effacées   B. ☐ effacés   C. ☐ effacé   D. ☑ effacée *F.S.*

F.P.   *M.P.*   *M.S.*

2) Complète la phrase avec le participe passé qui convient.

Ces médecins sont ... au secours de populations victimes de la faim.

A. ☑ venus   B. ☐ venu   C. ☐ venues   D. ☐ venue

3) Complète la phrase avec le participe passé qui convient.

Mes oncles sont ... d'Espagne avec des cadeaux pour toute la famille.

A. ☐ rentré   B. ☑ rentrés   C. ☐ rentrée   D. ☐ rentrées

M.S.   *F.S.*   *F.P.*

4) Complète la phrase avec les participes passés qui conviennent.

cod - bacalhau (marc.)

Avant d'être ..., ces cabillauds sont ... et ... .

A. ☐ congelé / vidé / écaillé   B. ☐ congelé / vidés / écaillés

C. ☐ congelées / vidées / écaillées   D. ☑ congelés / vidés / écaillés

5) Complète la phrase avec les participes passés qui conviennent.

born / *singer*

En écoutant Zaz, le public est ... qu'une grande chanteuse est ... *née*

A. ☐ persuadés / né   B. ☑ persuadé / née

C. ☐ persuadé / né   D. ☐ persuadée / née

6) Complète la phrase avec les participes passés qui conviennent.

mistress

Lorsque Maxime et Réjane se sont ..., la maîtresse est ... pour les séparer.

A. ☐ disputées / intervenues   B. ☐ disputé / intervenu

C. ☑ disputés / intervenue   D. ☐ disputés / intervenus

7) Complète la phrase avec les formes verbales qui conviennent.

Tu ... à pas de loup et tu ... sans faire de bruit.

A. ☑ es entré / t'es installé   B. ☐ es entré / t'es installée

C. ☐ ai entrée / t'ai installée   D. ☐ est entrée / t'est installée

8) Complète la phrase avec les participes passés qui conviennent.

Quand les travaux furent ..., la rue fut ... à la circulation.

A. ☐ terminé / rendu   B. ☐ terminés / rendus

C. ☑ terminés / rendue   D. ☐ terminée / rendue

corrigé page 106

JE RETIENS

Le **participe passé employé avec l'auxiliaire** *avoir* **ne s'accorde jamais avec le sujet** du verbe.

Cet individu a perdu son calme.   *Cette personne a perdu son calme.*
Ces individus ont perdu leur calme.   *Ces personnes ont perdu leur calme.*

JE PROGRESSE

● Le **participe passé employé avec l'auxiliaire** *avoir* **s'accorde avec le complément d'objet direct** du verbe, seulement **si celui-ci est placé avant** le participe passé.

● Pour trouver le complément d'objet direct, on pose la question **« quoi ? »** (ou **« qui ? »**) après le verbe.

J'ai rempli les verres. → *J'ai rempli* quoi ? *les verres*
→ COD placé après le verbe → donc **pas d'accord**

Voici les verres que j'ai remplis. → *J'ai rempli* quoi ? → *que* (mis pour *les verres*)
→ COD placé avant le verbe → donc **accord**

● Placé avant le participe passé, le **pronom** ne porte pas toujours les marques du genre et du nombre. Il faut alors rechercher le nom que remplace le pronom pour bien accorder le participe passé.

▸ **Pronom personnel** :
Après avoir inscrit l'adresse sur l'enveloppe, je l'ai timbrée.

→ *l'* mis pour *l'enveloppe* → accord au féminin singulier

▸ **Pronom relatif** :
Les obstacles que tu as rencontrés n'étaient pas insurmontables.

→ *que* mis pour *les obstacles* → accord au masculin pluriel

POUR EN SAVOIR PLUS

● Dans une question, le **complément d'objet direct** est parfois **placé avant** le participe passé ; celui-ci **s'accorde** donc.
Combien de buts Gaël a-t-il marqués ? Quelles erreurs as-tu corrigées ?

● Le participe passé *fait* **suivi d'un infinitif** est toujours **invariable**.
Voici les chaussures que tu as fait cirer.

● Lorsque le COD est le pronom *en*, le participe passé est toujours **invariable**.
Des buts ? Au cours de sa carrière, Giroud en a marqué des centaines !

1) Complète la phrase avec le participe passé qui convient.

Pourquoi n'as-tu pas ... cette ampoule défectueuse ?

A. ☐ changée   B. ☐ changés   C. ☐ changées   D. ☑ changé

2) Complète la phrase avec le participe passé qui convient.

J'ai ... sur la touche « étoile » de mon portable.

A. ☐ appuyés   B. ☐ appuyée   C. ☑ appuyé   D. ☐ appuyer

3) Complète la phrase avec les participes passés qui conviennent.

Nous avons ... les équipes et la partie a ... .

A. ☐ formées / débutée   B. ☑ formé / débuté
C. ☐ formés / débuté   D. ☐ formé / débutée

4) Quelle est la réponse correcte à cette question ?

Avez-vous reçu mes messages ? masculin

A. ☑ Oui, nous les avons reçus.   B. ☐ Non, nous l'avons pas reçus.
C. ☐ Oui, nous les avons reçu.   D. ☐ Non, nous les avons reçues.

5) Complète la phrase avec les participes passés qui conviennent.

Les élèves ont ... des mobiles et ils les ont ... au plafond.

A. ☐ confectionnés / suspendus   B. ☐ confectionné / suspendu
C. ☐ confectionnées / suspendus   D. ☑ confectionné / suspendus

6) Complète la phrase avec les participes passés qui conviennent.

traffic lights **Les feux rouges ont ..., alors les voitures se sont ... .**

A. ☐ clignotés / arrêtées   B. ☐ clignoté / arrêté
C. ☑ clignoté / arrêtées   D. ☐ clignotés / arrêtés

7) Complète la phrase avec les participes passés qui conviennent.

Tu as longtemps ... la sortie et tu l'as enfin ... .

A. ☐ cherchée / trouvée   B. ☑ cherché / trouvée
C. ☐ cherché / trouvé   D. ☐ cherchée / trouvée

8) Complète la phrase avec les participes passés qui conviennent.

Jonathan a ... les opérations et il les a ... sans l'aide de sa calculatrice.

A. ☑ posé / effectuées   B. ☐ posées / effectuées
C. ☐ posé / effectué   D. ☐ posé / effectuée

2. LA PHRASE ET LE VERBE

corrigé page 107

Fiche 28. Les différents types de phrases (1)

1) Réponse A – Quel chien a remporté le premier prix du concours canin ?
La phrase déclarative n'indique ni le lieu du concours ni sa date, donc on exclut les propositions B et C. Quant à la proposition D, elle comporte la question et la réponse…

2) Réponse C – point d'interrogation
La reprise du sujet par un pronom personnel relié au verbe par un trait d'union indique que nous avons une phrase interrogative.

3) Réponse C – Qu'as-tu imprimé en quatre couleurs ?
C'est la seule question qui ne mentionne pas le document ; ainsi, dans la réponse, on ne saurait quel nom remplace le pronom personnel l'.

4) Réponse B – point simple
On peut exclure les propositions C et D puisqu'il n'y a jamais de virgule ou de point-virgule à la fin d'une phrase. À l'écrit, rien n'indique que la phrase est interrogative puisqu'il n'y a pas de pronom de reprise du sujet.

5) Réponse D – Que
Une simple lecture de la phrase avec chacun des mots interrogatifs permet d'écarter la proposition D.

6) Réponse D – Qu'est-ce qui différencie un éléphant d'Asie d'un éléphant d'Afrique ?
Une simple lecture de la phrase avec chacun des mots interrogatifs permet de retenir la proposition D, la seule qui donne une phrase correcte.

7) Réponse A – Quand le plus vieux timbre du monde a-t-il été émis ?
Avec les autres mots interrogatifs, la phrase se révèle immédiatement incorrecte.

8) Réponse D – Quoi
Avec la proposition D, la phrase est incorrecte.

Fiche 29. Les différents types de phrases (2)

1) Réponse C – phrase déclarative
On peut uniquement hésiter entre une phrase déclarative et une phrase impérative. Mais il n'y a pas d'injonction. La phrase exprime un simple constat.

2) Réponse D – phrase exclamative
La présence d'un point d'exclamation permet d'écarter les propositions A et C. Comme il n'y a pas d'injonction ferme, la phrase ne peut être impérative.

3) Réponse B – phrase impérative
Le verbe conjugué à l'impératif permet d'écarter la proposition D.

4) Réponse D – phrase exclamative
La présence d'un point d'exclamation permet d'écarter les propositions A et C. Il ne peut s'agir d'une phrase impérative, car il n'y a pas de verbe injonctif.

5) Réponse A – phrase interrogative

6) Réponse D – phrase interrogative

7) Réponse B – phrase impérative
Le mot important de cette phrase est *interdiction* ; le verbe *pénétrer* est une simple expansion de ce nom.

8) Réponse A – phrase déclarative
La phrase exprime un simple constat.

Fiche 30. La ponctuation (1)

1) Réponse C – Dans quel pays se trouvent les chutes du Niagara ?
Il s'agit clairement d'une interrogation marquée par un mot interrogatif en début de phrase.

2) Réponse D – Je crains que ma question ne reste sans réponse...
Comme il n'y a pas le point simple dans les propositions, la réponse D s'impose.

3) Réponse C – Sarah aime les fruits exotiques, les mangues, les ananas, les goyaves, etc.
L'abréviation *etc.* est suivie d'un point simple et non de points de suspension.

4) Réponse A – L'usine de chaussures, faute de commandes, vient de fermer ses portes.
Il ne peut pas y avoir de point après *chaussures* et *commandes* puisque la phrase n'est pas terminée.

5) Réponse B – Ce robot ménager fonctionne-t-il correctement ?
Il n'y a qu'une question parmi les propositions.

6) Réponse B – Pour traverser le Sahara, que faut-il emporter ?
La phrase est interrogative, il faut donc un point d'interrogation à la fin.

7) Réponse A – L'ascension du mont Blanc, c'est une rude épreuve !
Il ne peut pas y avoir de point après *mont Blanc* puisque la phrase n'est pas terminée.

8) Réponse A – Nous allons démarrer, attachez vos ceintures.
Les autres propositions sont fautives.

Fiche 31. La ponctuation (2)

1) Réponse B – Le pneu est à plat : il faudra s'arrêter à la station-service.
L'absence de majuscule après *plat* exclut la possibilité d'un point.

2) Réponse B – La liste des pays producteurs de pétrole est longue : l'Arabie, la Russie, le Venezuela...
La seule hésitation porte sur la ponctuation à la fin de la phrase. Les points de suspension s'imposent : ils indiquent que la liste des pays est longue et qu'on ne les cite pas tous.

3) Réponse C – La sonorisation est en panne ; le concert est annulé.
S'il y avait un point simple ou un point d'interrogation après *panne*, il faudrait une majuscule à *le* ; et on ne peut pas terminer une phrase par un deux-points.

4) Réponse C – Dans un dialogue, il n'y a pas de tiret pour la première personne qui parle.

5) Réponse B – La pancarte est bien en évidence : « Fermeture annuelle ! »
Le deux-points annonce une citation qui peut être encadrée par des guillemets.

6) Réponse C – Décontenancée, Anita s'étonne : « Pourquoi n'irai-je pas avec vous ? »
À la fin de cette phrase, on ne peut placer qu'un point d'interrogation.

7) Réponse A – Le chef de gare est formel : « Le train partira à l'heure. »

8) Réponse A – Un jour, l'homme s'installera peut-être sur Mars : qui sait ?
L'adverbe *peut-être* s'écrit toujours avec un trait d'union ; la seule réponse possible est donc A.

Fiche 32. Les verbes (1)

1) Réponse C – saisir
Les autres mots sont des noms.

2) Réponse C – produisent

3) Réponse B – peindre

À la 3e personne du présent du subjonctif, les verbes *peindre* et *peigner* ont la même forme (*qu'il peigne*). Mais les autres temps permettent de distinguer qu'il s'agit bien du verbe *peindre*.

4) Réponse C – 3e groupe

L'infinitif du verbe est *tressaillir*, et le participe présent, *tressaillant.*

5) Réponse D – faiblir

Les autres verbes n'intercalent pas l'élément *-ss-* : *vêtir* ➜ *vêtant* ; *mourir* ➜ *mourant* ; *courir* ➜ *courant*.

6) Réponse A – entourer

Le verbe *aller* appartient au 3e groupe ; ses formes conjuguées sont irrégulières.

7) Réponse B – 4

Ce sont : *pleut, arrive, puissent* et *atterrir*.

8) Réponse A – vouloir

Pour trouver l'infinitif, on peut conjuguer le verbe à un autre temps que le présent du subjonctif, l'imparfait par exemple : « Quentin voulait m'accompagner. »

Fiche 33. Les verbes (2)

1) Réponse D – verbe intransitif

Il est impossible de placer un complément d'objet après le verbe *farfouiller*.

2) Réponse C – À Roncevaux, Roland fracassa son épée contre un rocher.

Si le verbe *se briser* peut admettre un complément d'objet (« L'acrobate s'est brisé la clavicule »), ce n'est pas le cas dans la phrase présentée.

3) Réponse B – verbe pronominal

La présence du pronom réfléchi *se* indique immédiatement la nature du verbe.

4) Réponse A – L'arbitre intervient pour séparer les deux judokas.

Les trois autres verbes sont transitifs directs : « Il libère le prisonnier » ; « Il limite sa vitesse » ; « Il neutralise les deux judokas ».

5) Réponse C – verbe transitif

La lumière du soleil est un complément d'objet direct, donc le verbe est transitif.

6) Réponse D – Ce stade paraît immense avec ses cent mille places !

L'adjectif *immense* est attribut du sujet *ce stade*.

7) Réponse B – verbe impersonnel / verbe transitif

Le verbe *convenir* est ici construit impersonnellement ; le sujet *il* est un sujet apparent, alors que le sujet logique est la proposition *que vous respectiez le règlement scolaire*.

8) Réponse A – verbe d'état / verbe intransitif

Si le choix se porte rapidement sur les propositions A et D (*être* est un verbe d'état), le verbe *commencer* peut être transitif ou intransitif, mais pas impersonnel ; on écarte donc la proposition D.

Fiche 34. Les auxiliaires : être et avoir

1) Réponse A – Tu as inscrit ton nom et ton prénom sur le formulaire.

Les propositions C et D sont à écarter puisque l'auxiliaire n'est pas conjugué à la 2e personne du singulier. La proposition B ne peut convenir, le verbe *inscrire* se conjuguant avec l'auxiliaire *avoir* à la voix active.

2) Réponse C – **Ces jumeaux sont nés à un quart d'heure d'intervalle.**
Seule proposition où le verbe est conjugué à la 3e personne du pluriel avec l'auxiliaire *être*.

3) Réponse D – retarder
Le verbe *retarder* est conjugué au passé composé de la voix passive.

4) Réponse A – **Vous avez tressé des brins de rotin pour confectionner une corbeille.**
Le verbe *tresser* se conjugue avec l'auxiliaire *avoir* à la voix active. A est la seule proposition possible.

5) Réponse C – **On ne sait pas pourquoi les dinosaures ont disparu de la surface de la Terre.**
Seule proposition dans laquelle le verbe *disparaître* est conjugué avec l'auxiliaire *avoir*.

6) Réponse D – **Un orage est survenu et a endommagé de nombreuses toitures.**
On écarte la proposition B où les auxiliaires sont suivis du verbe à l'infinitif. La proposition C, dans laquelle les auxiliaires sont au conditionnel, ne peut convenir avec la construction présente.

7) Réponse B – **Les cerises sont restées sur l'arbre, car personne ne les a cueillies.**
Le verbe *rester* se conjugue avec l'auxiliaire *être*. La proposition B est la seule où le verbe *être* est conjugué à la 3e personne du pluriel.

8) Réponse B – **Cet imprudent a descendu l'escalier quatre à quatre et il est tombé.**
Le verbe *descendre* a un complément d'objet direct, il se conjugue dans ce cas avec l'auxiliaire *avoir*. La proposition B est la seule où l'auxiliaire *avoir* est à la 3e personne du singulier.

Fiche 35. Les participes

1) Réponse C – **Les visiteurs sont séduits par l'audace de ce jeune peintre.**
Le participe passé s'accorde avec le sujet, masculin pluriel.

2) Réponse A – **Avez-vous compris les consignes ?**
Au féminin, ce participe passé fait *comprise*, donc présence d'un s final, même au singulier.

3) Réponse B – commettre
Les trois autres verbes appartiennent au 1er groupe, donc avec une terminaison *é* au participe passé.

4) Réponse D – **Florian a résolu le problème sans l'aide de sa calculatrice.**
En cas de doute, on peut consulter un livre de conjugaison.

5) Réponse B – conquis
Au féminin, ce participe passé fait *conquise*, donc présence d'un s final, même au singulier.

6) Réponse C – **La dépanneuse est intervenue pour remorquer la voiture accidentée.**

7) Réponse D – **Pour photographier ce paysage, j'ai utilisé mon portable.**
Le premier verbe est à l'infinitif (« Pour *apercevoir* ce paysage »), et le second, au participe passé (« j'ai *pris* mon portable »).

8) Réponse A – **Avec la parabole captant plus de cent chaînes, on peut installer un home cinéma !**
L'infinitif est la seule solution pour le second verbe : « on peut *choisir* un home cinéma ».

Fiche 36. L'accord du verbe

1) Réponse A – Mes camarades

2) Réponse B – **Quelques coups de pinceau suffisent pour transformer cette pièce.**
Le nom principal du groupe sujet est *coups*, 3e personne du pluriel.

3) **Réponse D – les coureurs échappés**

Il y a inversion du sujet : Qui sont ceux qui *surgissent* ? ➜ *les coureurs échappés.*

4) **Réponse A – L'hyène et le vautour se nourrissent de charognes.**

Deux sujets singuliers veulent le verbe au pluriel.

5) **Réponse C – Il existe encore des moutons qui passent tout l'été dans la montagne.**

Le premier verbe est à la 3ᵉ personne du singulier (sujet *il*), et le second, à la 3ᵉ personne du pluriel (sujet *qui*, mis pour *des moutons*).

6) **Réponse C – La télévision / le téléphone**

Qu'est-ce qui rapproche ? ➜ *La télévision et le téléphone.*

7) **Réponse B – Que tu puisses refuser cette proposition nous étonne.**

Le premier verbe est à la 2ᵉ personne du singulier, et le second, à la 3ᵉ personne du singulier.

8) **Réponse D – Les changements de direction du vent contrarient l'atterrissage de la montgolfière.**

Le nom principal du groupe sujet est *changements*, 3ᵉ personne du pluriel ; une seule réponse possible.

Fiche 37. Les formes affirmative et négative

1) **Réponse D – Lorsqu'il utilise un poste à soudure, M. Lamy ne prend jamais de risques.**

2) **Réponse C – Nous n'avons aucune raison de nous inquiéter.**

Il manque la première partie de la négation, ici élidée puisque placée devant une voyelle.

3) **Réponse D – Personne ne peut traverser ce torrent sans se mouiller.**

Peu demanderait un verbe à la 3ᵉ personne du pluriel.

4) **Réponse B – type déclaratif / forme affirmative**

Les types interrogatif et exclamatif sont à écarter puisqu'il n'y a pas les points finals correspondants. D'autre part, il n'y a pas de locution négative.

5) **Réponse C – Il n'y a plus de neige au sommet du mont Blanc.**

6) **Réponse A – Dans ce quartier, on ne voit que des immeubles neufs.**

Les réponses avec *ni* exigeraient la présence de deux éléments, or il n'y en a qu'un : *des immeubles neufs.*

7) **Réponse B – Il n'a pas plu depuis un mois ; il n'y a plus d'eau dans le réservoir.**

Une simple lecture de la phrase avec les différentes propositions suffit pour répondre correctement.

8) **Réponse A – type impératif / forme négative**

Le verbe est bien conjugué au présent de l'impératif.

Fiche 38. L'accord du participe passé employé avec l'auxiliaire être

1) **Réponse D – L'inscription est à moitié effacée sur le poteau indicateur.**

Le sujet, *inscription*, est un nom féminin singulier.

2) **Réponse A – Ces médecins sont venus au secours de populations victimes de la faim.**

Le sujet, *médecins*, est un nom masculin pluriel.

3) **Réponse B – Mes oncles sont rentrés d'Espagne avec des cadeaux pour toute la famille.**

Le sujet, *oncles*, est un nom masculin pluriel.

Corrigés

4) Réponse D – Avant d'être congelés, ces cabillauds sont vidés et écaillés.
Tous les participes se rapportent au nom *cabillauds*, masculin pluriel.

5) Réponse B – En écoutant Zaz, le public est persuadé qu'une grande chanteuse est née.
Le premier verbe a pour sujet *le public*, nom masculin singulier, et le second a pour sujet le groupe nominal *une grande chanteuse*, dont le nom principal est féminin singulier.

6) Réponse C – Lorsque Maxime et Réjane se sont disputés, la maîtresse est intervenue pour les séparer.
Le premier verbe a deux sujets, dont l'un est masculin ; le participe passé s'accorde donc au masculin pluriel. Le second verbe a pour sujet *la maîtresse*, nom féminin singulier.

7) Réponse A – Tu es entré à pas de loup et tu t'es installé sans faire de bruit.
Seules les propositions A et B ont des verbes correctement accordés à la 2e personne du singulier. Pour la proposition B, l'accord des participes passés n'est pas cohérent.

8) Réponse C – Quand les travaux furent terminés, la rue fut rendue à la circulation.
Le sujet du premier verbe, *travaux*, est un nom masculin pluriel. Le sujet du second verbe, *rue*, est un nom féminin singulier.

Fiche 39. L'accord du participe passé employé avec l'auxiliaire avoir

1) Réponse D – Pourquoi n'as-tu pas changé cette ampoule électrique ?
Le COD est placé après le participe passé : pas d'accord.

2) Réponse C – J'ai appuyé sur la touche « étoile » de mon portable.
Il n'y a pas de COD : pas d'accord.

3) Réponse B – Nous avons formé les équipes et la partie a débuté.
Pour le premier verbe, le COD est placé après le participe passé : pas d'accord. Le second verbe n'a pas de COD : pas d'accord.

4) Réponse A – Oui, nous les avons reçus.
Le pronom personnel qui remplace *mes messages* est au masculin pluriel ; comme il est placé avant le participe passé, celui-ci s'accorde au masculin pluriel.

5) Réponse D – Les élèves ont confectionné des mobiles et ils les ont suspendus au plafond.
Pour le premier verbe, le COD est placé après le participe passé : pas d'accord. Le second verbe a un COD (*les*, mis pour *des mobiles*) placé avant le participe passé : accord au masculin pluriel.

6) Réponse C – Les feux rouges ont clignoté, alors les voitures se sont arrêtées.
Le premier verbe n'a pas de COD : pas d'accord. Le second verbe est conjugué avec l'auxiliaire *être* : accord avec le sujet *les voitures*.

7) Réponse B – Tu as longtemps cherché la sortie et tu l'as enfin trouvée.
Pour le premier verbe, le COD est placé après le participe passé : pas d'accord. Le second verbe a un COD (*l'*, mis pour *la sortie*) placé avant le participe passé : accord au féminin singulier.

8) Réponse A – Jonathan a posé les opérations et il les a effectuées sans l'aide de sa calculatrice.
Pour le premier verbe, le COD est placé après le participe passé : pas d'accord. Le second verbe a un COD (*les*, mis pour *les opérations*) placé avant le participe passé : accord au féminin pluriel.

3. LES FONCTIONS DANS LA PHRASE

JE RETIENS

Une phrase simple est constituée de deux **groupes essentiels** : le groupe sujet (**GS**) et le groupe verbal (**GV**).

● Le **groupe sujet** s'organise généralement autour d'un **nom** (ou d'un **pronom**) principal ; il désigne ce dont on parle. Il peut être constitué d'un seul nom (ou d'un seul pronom).

Le transport des fruits et des légumes s'effectue en camions frigorifiques ;
            GS

certains relient le sud de l'Espagne à la région parisienne.
  GS

● Le **groupe verbal** s'organise autour d'un **verbe conjugué** ; il informe sur ce que fait le sujet. Il peut être constitué d'un seul verbe conjugué.

Le tremblement de terre a abîmé tous les bâtiments ; des fissures apparaissent.
               GV   GV

JE PROGRESSE

● Le groupe sujet est souvent **enrichi** par des **adjectifs qualificatifs**, des **compléments du nom** ou des **propositions relatives**.

Les produits seront consommés rapidement.
Les produits laitiers seront consommés rapidement.
Les produits de la mer seront consommés rapidement.
Les produits qui ne sont pas placés au frais seront consommés rapidement.

● Le groupe verbal peut être **enrichi** par **plusieurs compléments** qui encadrent le groupe sujet.

Chaque mercredi, au stade municipal, les meilleurs coureurs de l'école s'entraînent pour disputer le cross départemental.

POUR EN SAVOIR PLUS

● Dans une **phrase à l'impératif**, le groupe sujet n'est pas exprimé ; il n'y a **qu'un groupe verbal**. Seule la terminaison du verbe indique à qui l'on s'adresse.

Épluche les légumes.   *N'exagérons rien.*   *Criez moins fort.*

● Un **verbe à l'infinitif** est parfois le mot principal du groupe sujet.

Revenir sur vos promesses vous éloignera de vos amis.

● Une **proposition** peut également occuper la fonction de groupe sujet.

Qu'il neige avant la fin de la journée ne me surprendrait pas.

harmful

1) Quel est le nom principal du groupe sujet dans cette phrase ?

L'influence néfaste du tabac auprès des jeunes n'est plus à démontrer.

A. ☑ influence   B. ☐ néfaste   C. ☐ tabac   D. ☐ jeunes

2) Quels mots peut-on ajouter au groupe sujet ?

Une haie sépare les deux champs.

A. ☐ touffues   B. ☐ de chou   C. ☑ de cyprès   D. ☐ local

3) Complète la phrase avec le groupe sujet qui convient.

Dans le désert, ... voient parfois des mirages.

A. ☐ la caravane   B. ☐ le dromadaire

C. ☐ les palmiers   D. ☑ les caravaniers

4) Quels compléments peut-on ajouter au groupe verbal ?

Les soldats portent ... .

A. ☐ à la caserne   B. ☐ toute la journée

C. ☐ en permanence   D. ☑ un képi

$\begin{cases} D+A \\ D+B \\ D+C \end{cases}$ ok

5) Complète la phrase avec le groupe verbal qui convient.

shower 4 *Les giboulées de mars ... .*

A. ☑ provoquent une baisse de la température

B. ☐ dévaste les cultures

C. ☐ hachera les bourgeons

D. ☐ serons imprévisibles

6) Quelle est la nature grammaticale du groupe sujet souligné ?

J'ai invité mes amies pour mon anniversaire ; <u>toutes</u> sont venues.

A. ☐ adverbe   B. ☐ pronom possessif

C. ☑ pronom indéfini   D. ☐ pronom démonstratif

7) Quels sont les groupes sujets de cette phrase ?

L'Australie est le seul pays où vivent des kangourous en liberté.

A. ☐ L'Australie / le seul pays   B. ☑ L'Australie / des kangourous

C. ☐ le seul pays / en liberté   D. ☐ des kangourous / en liberté

8) Combien y a-t-il de compléments dans le groupe verbal de cette phrase ?

Comme je suis malade, mes camarades m'apportent les devoirs tous les soirs.

A. ☐ 2   B. ☑ 3   C. ☐ 4   D. ☐ 5

corrigé page 136

JE RETIENS

Le **complément d'objet direct (COD)** est un complément du verbe.
Il désigne l'être ou la chose sur lesquels s'exerce l'action exprimée par le verbe et qu'effectue le sujet. Il est construit **sans préposition**.

● Un **verbe** qui peut être **suivi d'un COD** est dit **transitif direct**.

Le professeur <u>interroge</u> *les élèves ; tous* <u>ont appris</u> *leur leçon.*
           v. transitif direct   COD   v. transitif direct   COD

● On **trouve le COD** en posant la question « **qui ?** » ou « **quoi ?** » après le verbe.

Le professeur interroge les élèves. → *Le professeur interroge* qui ? → *les élèves*
Tous ont appris leur leçon. → *Tous ont appris* quoi ? → *leur leçon*

JE PROGRESSE

Le **complément d'objet direct** peut être :

▸ un **nom** : *J'accompagne Pamela au parc d'attractions.*
▸ un **groupe nominal (GN)** : *Zita porte un appareil dentaire.*
▸ un **pronom** : *Les mauvaises herbes poussent vite ; elles envahissent tout.*
▸ un **infinitif** : *Carine adore chanter.*
▸ une **proposition** : *Tu crains que cet escabeau ne soit pas stable.*
▸ un **pronom relatif** : *La robe que porte le mannequin est l'œuvre d'un grand couturier parisien.*
▸ un **pronom personnel** : *Tu as choisi un livre et tu l'as lu ; maintenant, résume-le.*

POUR EN SAVOIR PLUS

● Le COD est un **complément essentiel**, qui **ne peut pas être déplacé**.

▸ Lorsque le COD est un **nom** ou un **GN**, il est placé juste après le verbe, sauf dans les phrases interrogatives et exclamatives.

Tu as choisi un livre.   *Quel livre as-tu choisi ?*   *Quel beau livre tu as choisi !*

▸ Lorsque c'est un **pronom**, il est placé juste avant le verbe, sauf à l'impératif.

Ce livre est intéressant ; maintenant que tu l'as lu, résume-le.

● En général, le COD **ne peut pas être supprimé**, sinon la phrase n'a plus de sens.

● Certains verbes n'ont jamais de COD ; ils sont dits **intransitifs** (voir fiche 33).

briller → *Les étoiles brillent.*   *bouillir* → *L'eau bout.*

1) Quel est le COD dans cette phrase ?

Le cavalier franchit les obstacles avec une aisance stupéfiante.

A. ☐ Le cavalier   B. ☑ les obstacles   C. ☐ une aisance   D. ☐ stupéfiante

2) Complète la phrase avec le COD qui convient.

La glace à la vanille, je ... préfère avec un peu de crème Chantilly.

A. ☐ lui   B. ☐ le   C. ☑ la   D. ☐ les

3) Quel est le COD dans cette phrase ?

Avant la descente, le moniteur donne des conseils aux skieurs débutants.

A. ☐ la descente   B. ☐ le moniteur   C. ☑ des conseils   D. ☐ aux skieurs

4) Quel est le nom principal du COD dans cette phrase ?

Cette publicité vante les mérites d'un déodorant sur de nombreuses affiches.

A. ☐ publicité   *praise/brag*   B. ☑ mérites

C. ☐ déodorant   D. ☐ affiches

5) Dans cette phrase, il manque le COD ; retrouve-le.

Les Africaines transportent ... sur leur tête.

A. ☑ des marchandises   B. ☐ chaque jour

C. ☐ en allant au marché   D. ☐ en retard

6) Quels sont les COD dans cette phrase ?

Dans son dernier film, Jean Dujardin joue le rôle d'un espion ; l'as-tu vu ?

A. ☐ dernier film / un espion   B. ☑ le rôle d'un espion / l'

C. ☐ dernier film / l'   D. ☐ Jean Dujardin / le rôle d'un espion

7) Quels sont les COD dans cette phrase ?

Le gendarme demande les papiers au conducteur ; il les examine et les lui rend.

A. ☐ Le gendarme / les / lui   B. ☐ les papiers / au conducteur / il

C. ☐ au conducteur / les / lui   D. ☑ les papiers / les / les

8) Quels sont les COD dans cette phrase ?

Je pense que le jardinier arrosera les massifs d'hortensias.

A. ☐ le jardinier / les massifs

B. ☐ que / d'hortensias

C. ☑ que le jardinier arrosera les massifs d'hortensias / les massifs d'hortensias

D. ☐ que le jardinier arrosera / les massifs

corrigé page 136

JE RETIENS

Le **complément d'objet indirect (COI)** est un complément du verbe.
Il désigne l'être ou la chose sur lesquels s'exerce l'action exprimée par le verbe
et que fait le sujet. Il est en général rattaché au verbe par l'intermédiaire d'une
préposition.

connected

● Le COI se rattache au verbe par les prépositions *à, au, de*, **sauf s'il s'agit d'un
pronom**.

Belong

   Ce château appartient à un riche banquier.
   Les hirondelles se nourrissent de moucherons.
   M. Sapin connaît bien les personnes auxquelles il parle.

● On **trouve le COI** en posant la question « **à qui ?** », « **de qui ?** »,
« **à quoi ?** », « **de quoi ?** » après le verbe.

   Ce château appartient à qui ? → *à un riche banquier*
   Les hirondelles se nourrissent de quoi ? → *de moucherons*
   Il parle à qui ? → *auxquelles* (mis pour *les personnes*)

JE PROGRESSE

Le **complément d'objet indirect** peut être :

▸ un **nom** : *Kamel bénéficie d'une réduction.*
▸ un **groupe nominal** : *Souad rêve de vacances au bord de la mer.*
▸ un **pronom** : *Cet inventeur de génie touche à tout.*
▸ un **infinitif** : *Pourquoi Mandy renonce-t-elle à s'entraîner ?*
▸ une **proposition** : *La météo s'attend à ce qu'il neige dans les prochains jours.*
▸ un **pronom relatif** (placé avant le verbe) : *Les difficultés auxquelles se
heurtent les ingénieurs sont insurmontables.*
▸ un **pronom personnel** (placé avant le verbe, sauf à l'impératif) :
  Lorsque Rachel rencontre son amie, elle lui sourit.   *Dis-moi la vérité.*

POUR EN SAVOIR PLUS

● Dans les **phrases interrogatives**, le COI est placé **avant** le verbe.

   De quoi avez-vous besoin pour tracer un cercle ?
   À qui téléphones-tu de si bon matin ?

● Lorsqu'on veut mettre le COI en relief, on le place en tête de phrase et on le
reprend par un pronom personnel.

   Des babas au rhum, je n'en ai jamais goûté.

1) Quel est le COI dans cette phrase ?

Pourquoi les jeux vidéo plaisent-ils tant aux jeunes ?

A. ☐ les jeux vidéo   B. ☐ Pourquoi   C. ☑ aux jeunes   D. ☐ tant

2) Quel est le COI dans cette phrase ?

Philippe est heureux ; il assiste pour la première fois à un concert de rock.

A. ☐ heureux   B. ☐ pour la première fois

C. ☐ Philippe   D. ☑ à un concert de rock

3) Quel est le COI dans cette phrase ?

Il arrive que certaines personnes croient encore aux fantômes.

A. ☑ aux fantômes   B. ☐ encore

C. ☐ certaines personnes   D. ☐ étonnant

4) Complète la phrase avec le COI qui convient.

Nous profitons ... pour sortir.

A. ☐ à un moment   B. ☑ d'une accalmie

C. ☐ à 3 heures   D. ☐ de longtemps

5) Quel est le COI dans cette phrase ?

Après l'ascension du col du Tourmalet, Denis aspire à un peu de repos.

A. ☐ après l'ascension   B. ☑ à un peu de repos

C. ☐ du col   D. ☐ du Tourmalet

6) Quelle est la nature grammaticale du COI dans cette phrase ?

Ce film est intéressant, mais je m'attendais à mieux.

A. ☐ nom commun   B. ☐ pronom

C. ☑ adverbe   D. ☐ proposition

7) Quel est le COI dans cette phrase ?

En période de soldes, les clients bénéficient d'une réduction.

A. ☐ les clients   B. ☑ d'une réduction

C. ☐ En période   D. ☐ de soldes

8) Complète la phrase avec le COI qui convient.

Mes parents effectueront un voyage en Chine ; ils ... songeaient depuis un an.

A. ☐ leur   B. ☐ lui   C. ☐ en   D. ☑ y

3. LES FONCTIONS DANS LA PHRASE

corrigé page 137

JE RETIENS

● On appelle **complément d'objet second (COS)** un COI qui prend place dans une phrase comportant déjà un COD ou un COI.

Le grand-père raconte une histoire à ses petits-enfants.
         COD   COS

● Lorsque le verbe est construit avec **deux COI**, celui qui est introduit par la préposition *de* est appelé complément d'objet indirect ; celui qui est introduit par la préposition *à/au/aux* est appelé **complément d'objet second**.

L'explorateur parle de son aventure aux reporters.
         COI   COS

JE PROGRESSE

● Dans une phrase, le **COS suit le COD**, sauf si celui-ci est plus long.

Le médecin interdit les matières grasses au malade.

mais :

Le médecin interdit au malade de consommer des matières grasses.

● Le COS est généralement un **nom**, un **groupe nominal** ou un **pronom**.

Les admirateurs se pressent autour du chanteur ; il remet à chacun une photographie dédicacée.

● Lorsqu'il s'agit d'un **pronom de reprise**, le COS n'est pas introduit par une préposition et il est placé avant le verbe.

Les admirateurs se pressent autour du chanteur ; il leur remet une photographie dédicacée.
Le médecin examine le malade et il lui interdit les matières grasses.

POUR EN SAVOIR PLUS

● Lorsque le verbe est construit avec **deux pronoms,** l'un étant complément d'objet direct et l'autre complément d'objet second, ce dernier précède directement le verbe.

Le vainqueur attendait sa médaille d'or ; le jury la lui remet enfin.
                         COS

● Avec des verbes comme *donner, prêter, confier, apprendre, offrir,* etc., le complément d'objet second est parfois appelé **complément d'attribution**.

Le grand-père offre de beaux livres à ses petits-enfants.
                     COS ou
                  c. d'attribution

JE M'ENTRAÎNE

à / au / aux

1) Quel est le COS dans cette phrase ?

Chaque jour, le facteur distribue le courrier aux locataires de l'immeuble.

A. ☐ le courrier   B. ☐ le facteur

C. ☑ aux locataires de l'immeuble   D. ☐ Chaque jour

2) Complète la phrase avec le COS qui convient.

L'arbitre donne un avertissement ... .

A. ☑ au joueur brutal   B. ☐ au terrain

C. ☐ de peu   D. ☐ depuis une minute

3) Quel est le COS dans cette phrase ?

Au poste frontière, les voyageurs tendent leur passeport aux douaniers.

u customs officer

A. ☐ les voyageurs   B. ☐ leur passeport

C. ☐ Au poste frontière   D. ☑ aux douaniers

4) Quel est le COS dans cette phrase ?

to anyone   *stew*

Le chef cuisinier ne révèle pas à n'importe qui sa manière de préparer le civet.

A. ☐ sa manière   B. ☐ le civet

C. ☐ Le chef cuisinier   D. ☑ à n'importe qui

5) Complète la phrase avec le COS qui convient.

Le directeur informe les parents d'élèves ... .

A. ☐ à chacun   B. ☐ pour finir

C. ☑ de son départ à la retraite   D. ☐ de l'école

retirement

6) Quelle est la nature grammaticale du COS dans cette phrase ?

roadhog *Le chauffard roulait trop vite ; les gendarmes lui retirent son permis.* *policeman*

A. ☐ nom commun   B. ☐ adverbe

C. ☑ pronom personnel   D. ☐ pronom indéfini

7) Quel est le COS dans cette phrase ?

L'avocat de l'accusé devra démontrer son innocence aux jurés.

A. ☐ L'avocat   B. ☑ aux jurés

C. ☐ l'accusé   D. ☐ son innocence

8) Quelle est la nature grammaticale du COS dans cette phrase ?

Surtout, ne confie pas ce secret à tout le monde ; cela doit rester entre nous.

mainly

A. ☐ groupe adverbial   B. ☑ groupe nominal

C. ☐ pronom indéfini   D. ☐ verbe à l'infinitif

corrigé page 137

JE RETIENS

● Le **complément circonstanciel de temps (CCT)** permet de situer dans le temps l'action ou le fait exprimés par le verbe.

> *La tempête atteindra la côte bretonne dans la nuit.*

● On **trouve le CCT** en posant la question « **quand ?** » ou « **combien de temps ?** ».

> *Quand la tempête atteindra-t-elle la côte bretonne ?* → *dans la nuit*
> CCT

● Le CCT peut être supprimé ou déplacé.

> *Dans la nuit, la tempête atteindra la côte bretonne.*
> → *La tempête atteindra la côte bretonne.*
> → *La tempête atteindra la côte bretonne dans la nuit.*

JE PROGRESSE

● Le CCT permet d'exprimer :

▸ une **date** : *Géraldine est née le 24 mars 2008.*

▸ une **durée** : *De septembre à fin mars, les marmottes hibernent.*

▸ une **fréquence** : *J'apprends mes leçons tous les soirs.*

● Le CCT peut être :

▸ un **nom** ou un **groupe nominal** : *La kermesse de l'école aura lieu samedi prochain.*

▸ un **groupe prépositionnel** : *Les hôtesses donnent les consignes de sécurité avant le décollage.*

▸ un **adverbe** : *Les méfaits du tabac sont désormais bien connus.*

▸ une **subordonnée conjonctive** : *Nous ouvrirons les fenêtres quand la pluie cessera.*

POUR EN SAVOIR PLUS

Dans les propositions subordonnées compléments de temps, le verbe est conjugué :

● à l'**indicatif** après les conjonctions *après que, pendant que, tandis que, aussitôt que, lorsque…*

> *Tandis que tu bois un verre de jus d'orange, tes amis se partagent la tarte.*

● au **subjonctif** après les conjonctions *avant que, jusqu'à ce que…*

> *Jusqu'à ce que tu boives un verre d'eau, tu avais le hoquet.*

1) Quel est le CCT dans cette phrase ?

Au moindre bruit, l'alarme se déclenche et réveille tous les habitants du quartier.

A. ❑ l'alarme

B. ❑ tous les habitants

C. ☑ Au moindre bruit

D. ❑ du quartier

2) Quel est le CCT dans cette phrase ?

Je t'ai envoyé, à l'instant, des photos de ma petite chatte.

A. ❑ t'   B. ☑ à l'instant   C. ❑ des photos   D. ❑ de ma petite chatte

3) Quel est le CCT dans cette phrase ?

Le jour de l'Épiphanie, nous avons tiré les rois en dégustant une galette.

A. ☑ Le jour de l'Épiphanie

B. ❑ les rois

C. ❑ en dégustant

D. ❑ une galette

4) Complète la phrase avec un CCT.

Dylan a marqué le panier de la victoire … .

A. ❑ d'un shoot magnifique

B. ☑ à la dernière seconde

C. ❑ avec sang-froid

D. ❑ sans trembler

5) Complète la phrase avec un CCT.

…, les hirondelles se rassemblent sur les fils électriques.

A. ❑ Pour s'envoler vers l'Afrique

B. ❑ Par centaines

C. ❑ Poussant des cris aigus

D. ☑ À la fin de l'été

6) Quelle est la nature grammaticale du CCT dans cette phrase ?

Autrefois, on voyageait à pied ou en diligence.

A. ❑ nom commun   *In the old days*

B. ❑ proposition subordonnée

C. ☑ adverbe

D. ❑ pronom personnel

7) Complète la phrase avec un CCT.

…, nous offrons des brins de muguet à nos amis.

A. ☑ Chaque 1ᵉʳ Mai

B. ❑ Pour leur faire plaisir

C. ❑ Selon la tradition

D. ❑ Avec joie

8) Quelle est la nature grammaticale du CCT dans cette phrase ?

Quand le chat n'est pas là, les souris dansent.

A. ☑ proposition subordonnée

B. ❑ groupe nominal

C. ❑ adverbe

D. ❑ infinitif

3. LES FONCTIONS DANS LA PHRASE

corrigé page 137

45   Le complément circonstanciel de lieu

JE RETIENS

● Le **complément circonstanciel de lieu (CCL)** permet de situer dans l'espace l'action ou le fait exprimés par le verbe.

On voit des manchots près du pôle Sud.

● On **trouve le CCL** en posant la question « **où ?** » ou « **à quel endroit ?** ».

Où voit-on des manchots ? → près du pôle Sud

                                          CCL

● En général, le CCL peut être supprimé ou déplacé.

Près du pôle Sud, on voit des manchots.
   → *On voit des manchots.*
   → *On voit des manchots près du pôle Sud.*

JE PROGRESSE

● Le CCL permet d'exprimer :

▸ le lieu **où l'on est** : *Que faites-vous ici ?*

▸ le lieu **où l'on va** : *Le pétrolier appareille pour le golfe Persique.*

▸ le lieu **d'où l'on vient** : *Les élèves sortent de l'école.*

▸ le lieu **où l'on passe** : *Les taxis circulent dans le couloir qui leur est réservé.*

● Le CCL peut être :

▸ un **nom** ou un **groupe nominal** : *La famille Forestier habite rue Jean-Moulin.*

▸ un **groupe prépositionnel** : *Pourquoi Yorick passe-t-il toutes ses soirées devant sa tablette ?*

▸ un **adverbe** : *Avec une voiture dans un tel état, ce conducteur n'ira pas loin.*

▸ un **pronom personnel** : *Le bureau de poste ouvre à 9 heures ; j'y vais de ce pas.*

▸ une **subordonnée relative** sans antécédent : *Les campeurs plantent leur tente où ils peuvent.*

POUR EN SAVOIR PLUS

Un même verbe peut avoir **plusieurs CCL**.

Place du Marché, devant la statue de Jeanne d'Arc,

    CCL   CCL

on stationne sur les emplacements matérialisés au sol.

                            CCL

1) **Quel est le CCL dans cette phrase ?**

Au Moyen Âge, les châteaux des seigneurs étaient bâtis sur des pitons rocheux.

A. ❑ les châteaux   B. ❑ Au Moyen Âge

C. ☑ sur des pitons rocheux   D. ❑ des seigneurs

2) **Complète la phrase avec un CCL.**

Perrine a osé plonger ... .

A. ❑ pour la première fois   B. ☑ du grand tremplin

C. ❑ sans trembler   D. ❑ sans élan

3) **Quel est le CCL dans cette phrase ?**

Tous les mardis, le marché forain se tient place Colbert à la satisfaction générale.

A. ❑ à la satisfaction générale   B. ❑ Tous les mardis

C. ☑ place Colbert   D. ❑ le marché forain

4) **Qu'indique le CCL de cette phrase ?**

La nuit, les chats se promènent souvent sur les toits.

A. ❑ le lieu où l'on va   B. ❑ le lieu où l'on est

C. ❑ le lieu d'où l'on vient   D. ☑ le lieu où l'on passe

5) **Complète la phrase avec un CCL.**

Les routiers se reposent ... .

A. ☑ sur l'aire d'autoroute   B. ❑ après deux heures de conduite

C. ❑ avec plaisir   D. ❑ avant de repartir

6) **Complète la phrase avec un CCL.**

Jordi marche ... .

A. ☑ le long du canal   B. ❑ à vive allure

C. ❑ pendant une heure   D. ❑ pour entretenir sa forme

7) **Quel est le CCL dans cette phrase ?**

Bien avant le début du match, la foule des supporters se presse devant les guichets.

A. ❑ Bien avant le début du match   B. ☑ devant les guichets

C. ❑ la foule   D. ❑ des supporters

8) **Qu'indique le CCL dans cette phrase ?**

Des ours vivent en liberté dans les Pyrénées.

A. ❑ le lieu où l'on va   B. ☑ le lieu où l'on est

C. ❑ le lieu d'où l'on vient   D. ❑ le lieu où l'on passe

3. LES FONCTIONS DANS LA PHRASE

corrigé page 138

JE RETIENS

● Le **complément circonstanciel de manière (CCM)** indique de quelle manière se déroule l'action exprimée par le verbe.

Après avoir réfléchi, il a donné son accord du bout des lèvres.

● On **trouve le CCM** en posant la question « **comment ?** ».

Comment *a-t-il donné son accord ?* → *du bout des lèvres*

                 agreement   CCM   *reluctantly*

JE PROGRESSE

Le CCM peut être :

▶ un **nom** ou un **groupe nominal** :
Le fakir se déplace pieds nus sur les braises.
Ces deux adversaires se regardent les yeux dans les yeux.

▶ un **groupe prépositionnel** : *Voyez comme ce patineur évolue avec grâce.*

▶ un **adverbe** (souvent terminé par **-ment**) : *Je me rends directement au lieu du rendez-vous.*

▶ un **participe présent** précédé de *en* : *En transportant le pollen, les abeilles assurent la reproduction des plantes à fleurs.*

▶ un **groupe infinitif** : *Un bon cavalier galope sans brutaliser sa monture.*

▶ un **adjectif qualificatif** pris adverbialement : *Certains inconscients conduisent sans permis ; cela peut leur coûter cher.*

▶ une **proposition subordonnée** : *Je vous comprends sans que vous ayez besoin d'élever la voix.*

REMARQUE Dans la subordonnée introduite par la locution conjonctive *sans que*, le verbe doit être conjugué au **subjonctif**.

POUR EN SAVOIR PLUS

Il ne faut pas confondre le complément circonstanciel de manière avec **l'attribut du sujet** *(voir fiche 52)*.

Les astronomes sont en observation.
                     CCM

Les astronomes sont attentifs.
              attribut du sujet

Les astronomes sont des savants attentifs.
              attribut du sujet

morceau

1) **Quel est le CCM dans cette phrase ?**

Sur leur cahier du jour, certains élèves pourraient écrire avec plus de soin.

A. ❑ leur cahier   B. ❑ écrire   C. ☑ avec plus de soin   D. ❑ du jour

2) **Quel est le CCM dans cette phrase ?**

Heureux de son sort, Fabien se rend à la piscine en sifflotant.

A. ☑ en sifflotant   B. ❑ Heureux   C. ❑ de son sort   D. ❑ à la piscine

3) **Complète la phrase avec un CCM.**

Ne sortez pas en mer … .

A. ❑ de bon matin   B. ☑ sans prévenir la capitainerie

C. ❑ pour aller pêcher   D. ❑ au large

4) **Complète la phrase avec un CCM.**

Ce nouvel ordinateur fonctionne … .

A. ❑ dans quelques années   B. ❑ la nuit

C. ❑ dans un local aéré   D. ☑ sans clavier

5) **Complète la phrase avec deux CCM.**

Léa sort …, car elle est … .

A. ❑ à 8 heures / furieuse   B. ❑ lentement / heureuse

C. ❑ de chez elle / pressée   D. ☑ précipitamment / en retard

6) **Quelle est la nature grammaticale du CCM dans cette phrase ?**

La garde royale arpentait la cour du palais d'un pas martial.

A. ☑ groupe nominal   B. ❑ adverbe

C. ❑ participe présent   D. ❑ groupe infinitif

7) **Quel est le CCM dans cette phrase ?**

Honteux et confus, le corbeau regarda partir le renard en regrettant sa naïveté.

A. ❑ Honteux   B. ☑ en regrettant sa naïveté

C. ❑ confus   D. ❑ le renard

8) **Quelle est la nature grammaticale du CCM dans cette phrase ?**

En lançant les dés sur le tapis, tu as fait un double six.

dice

A. ❑ groupe nominal   B. ❑ adverbe

C. ☑ groupe du participe présent   D. ❑ groupe infinitif

corrigé page 138

JE RETIENS

- Le **complément circonstanciel de cause (CC de cause)** indique la raison pour laquelle se déroule l'action exprimée par le verbe.

  Ce joueur est sanctionné d'un carton jaune parce qu'il a commis une faute.

- On **trouve le CC de cause** en posant la question « **pourquoi ?** ».

  Pourquoi *ce joueur est-il sanctionné ?* → *parce qu'il a commis une faute*
  <u>CC de cause</u>

JE PROGRESSE

Le complément circonstanciel de cause peut être :

▸ un **groupe prépositionnel** : *Faute de temps, tu n'as pas pu terminer ton exercice.* *something stupid si besteira*

▸ un **groupe infinitif** : *Pour n'avoir pas assez réfléchi, j'ai répondu une bêtise.*

▸ un **participe présent** précédé de *en* : *En voyant fondre ses économies, Martin se fait du souci.*

▸ une **proposition participiale** : *Le coureur kényan étant le plus résistant, il remportera le marathon.*

▸ une **proposition subordonnée conjonctive** : *J'écoute souvent cette chanson parce que je l'aime beaucoup.*

REMARQUE Le verbe de la subordonnée est à l'**indicatif** ou, éventuellement, au **conditionnel**.

  Flavien n'a pas envie de se baigner, d'autant que l'eau <u>est</u> froide.
  Léonard est absent parce qu'il <u>serait</u> malade.

POUR EN SAVOIR PLUS

- La cause peut être exprimée dans une **proposition coordonnée** introduite par *car* ou *en effet*.

  Les enquêteurs relâchent le suspect, car il possède un bon alibi.
  Ces musiciens sont bien accueillis à Belfort, en effet ils sont originaires de la région. *highlighted*

- La cause peut être **mise en relief** au moyen de la tournure *twist* « *si … c'est que* ».

  La viande est dure parce qu'elle n'est pas assez cuite.
  → *Si la viande est dure, c'est qu'elle n'est pas assez cuite.*

puisque
since

1) **Quel est le CC de cause dans cette phrase ?**

Surtout, ne consommez pas ce yaourt aux fruits puisqu'il est périmé.

A. ☐ Surtout B. ☐ ce yaourt C. ☐ aux fruits D. ☑ puisqu'il est périmé

2) **Complète la phrase avec un CC de cause.**

..., aide-moi à enregistrer cette application.

A. ☐ Maintenant B. ☐ Sans tarder

C. ☐ Il n'y a plus de batterie D. ☑ Puisque tu as réponse à tout

3) **Complète la phrase avec un CC de cause.**

..., les pêchers ne sont pas encore fleuris.

A. ☐ Dans la vallée du Rhône B. ☐ En avril

C. ☑ Comme l'hiver a été long D. ☐ La récolte sera peu abondante

was

4) **Quel est le CC de cause dans cette phrase ?**

Filtrant les particules, ce pot d'échappement réduit considérablement les nuisances.

A. ☐ ce pot d'échappement B. ☑ Filtrant les particules

C. ☐ considérablement D. ☐ les nuisances

5) **Quelle est la nature grammaticale du CC de cause dans cette phrase ?**

Des feux rouges clignotants s'allument pour signaler un danger.

flashing

A. ☑ groupe infinitif B. ☐ groupe prépositionnel

C. ☐ participe présent D. ☐ proposition subordonnée conjonctive

6) **Complète la phrase avec un CC de cause.**

..., utilisez la lessive Le Minet !

A. ☑ Pour laver plus blanc B. ☐ Dans votre machine

C. ☐ À l'avenir D. ☐ Chaque matin

7) **Complète la phrase avec un CC de cause.**

at the peak

Un télescope est installé au sommet du pic du Midi ... .

A. ☐ depuis un an B. ☐ par des astronomes

C. ☑ pour observer les étoiles D. ☐ près de l'Espagne

8) **Quelle est la nature grammaticale du CC de cause dans cette phrase ?**

La voiture a fait une embardée à cause du verglas. *ice*

A. ☐ groupe infinitif B. ☑ groupe prépositionnel

C. ☐ participe présent D. ☐ proposition subordonnée conjonctive

corrigé page 139

48

Le complément circonstanciel de conséquence

JE RETIENS

● Le **complément circonstanciel de conséquence** (CC de conséquence) indique le résultat de l'action exprimée par le verbe.

Tu as déjà pris la décision de partir, si bien qu'il est inutile d'attendre !

● Pour **trouver le CC de conséquence**, on peut poser la question **« quelle en est la conséquence ? »**.

Tu as déjà pris la décision de partir → Quelle en est la conséquence ?
→ *il est inutile d'attendre*

JE PROGRESSE

Le complément circonstanciel de conséquence peut être :

▸ une **proposition subordonnée** introduite par une **locution conjonctive** (*si bien que, de sorte que, de façon que, au point que*, etc.) et toujours placée après la proposition principale :

Tu n'as pas de moutarde, si bien que tu ne prépares pas la mayonnaise.
Il a plu pendant quatre jours, de sorte que toutes les rivières débordent.

▸ une **proposition subordonnée** introduite par *que* en association avec un **adverbe de quantité** (*si, tel, tellement, tant, trop de*, etc.) placé dans la proposition principale et suivi d'un adjectif ou d'un nom :

Ce basketteur est <u>si</u> adroit qu'il marque au moins trente points par match.
Il y a <u>tellement</u> de vent que tous les parasols s'envolent.
Nous avons <u>tant</u> de retard que nous n'arriverons pas à l'heure.

▸ un **groupe infinitif** introduit par *à, au point de, pour, de manière à*, etc., et toujours placé après le verbe conjugué :

Damien a sorti ses jumelles <u>de manière à</u> apercevoir les chamois.
Ce cerf est assez rapide pour échapper à la meute des chiens.
Le vent est violent au point de rompre les amarres des navires.

POUR EN SAVOIR PLUS

La conséquence peut également être exprimée par des **propositions** introduites par des **conjonctions de coordination**, ou des **adverbes** faisant office de conjonctions.

Vous venez d'éteindre, <u>donc</u> nous allons dormir.
Ce film n'est pas très gai, <u>néanmoins</u> on le regarde avec plaisir.

1) Quel est le CC de conséquence dans cette phrase ?

*Le chat de la voisine guette les souris, si bien que, prudentes,
elles restent dans leur trou.*

A. ☑ si bien qu'elles restent dans leur trou   B. ❏ Le chat de la voisine

C. ❏ les souris   D. ❏ prudentes

2) Complète la phrase avec un CC de conséquence.

Ninon est timide ... .

A. ❏ devant ses amies   B. ❏ quand on l'interroge

C. ❏ depuis son enfance   D. ☑ si bien qu'elle rougit facilement

3) Complète la phrase avec un CC de conséquence.   *so that*

Le spectacle a connu un grand succès, ...

A. ❏ avec la venue du groupe des Tornados

B. ☑ au point que des représentations supplémentaires sont prévues

C. ❏ afin que la salle soit de nouveau disponible

4) Complète la phrase avec un CC de conséquence.

Les bergers ont tellement peur du loup ... .

A. ☑ qu'ils ne laissent pas leurs moutons paître n'importe où

B. ❏ qui rôde près des troupeaux

C. ❏ que la faim attire dans les alpages

5) Quelle est la nature des compléments circonstanciels soulignés ?

L'incendie a pris <u>dans le hangar</u>, <u>de sorte qu'on a dû évacuer les riverains</u>.

A. ☑ complément de lieu / complément de conséquence

B. ❏ complément de manière / complément de conséquence

C. ❏ complément de temps / complément de cause

6) Quelle est la nature du CC de conséquence dans cette phrase ?

Le pilote consulte ses instruments <u>de manière à se poser sans encombre</u>.

A. ❏ groupe nominal   B. ☑ groupe infinitif

C. ❏ proposition subordonnée   D. ❏ adjectif qualificatif

7) Comment la conséquence est-elle exprimée dans cette phrase ?

Tu viens d'enfiler ton anorak, <u>ainsi</u> tu n'auras plus froid.

A. ❏ par un groupe infinitif   B. ❏ par une proposition subordonnée

C. ☑ par une proposition coordonnée   D. ❏ par un groupe nominal

8) Quelle est la nature du CC de conséquence dans cette phrase ?

Dans cette pièce, l'étagère est si haute que Heidi ne peut l'atteindre.

A. ❏ groupe nominal   B. ☑ proposition subordonnée

C. ❏ groupe infinitif   D. ❏ participe présent

corrigé page 139

49

L'adjectif qualificatif épithète

(person or thing mentioned)

JE RETIENS

near close

● L'**adjectif qualificatif placé près du nom** auquel il se rapporte directement (sans l'intermédiaire d'un verbe) est **épithète** et fait partie du groupe nominal.

La Corse est une région <u>touristique</u> ; les touristes <u>étrangers</u> l'apprécient beaucoup.
                     adj. épithète   adj. épithète

● C'est aussi le cas :

▸ du **participe passé** : *Je me régale avec une crème brûlée.*

▸ et de l'**adjectif verbal** : *N'ayez pas peur de ce monstre effrayant ; il est en carton !*

RAPPEL Les adjectifs qualificatifs **s'accordent** en genre et en nombre **avec les noms** auxquels ils se rapportent.

un monstre effrayant   une sorcière effrayante
des monstres effrayants   des sorcières effrayantes

JE PROGRESSE

● Les adjectifs qualificatifs peuvent être **placés avant** ou **après le nom.** Dans ce cas, ils ont souvent des significations différentes.

un curieux personnage = un personnage étrange
un personnage curieux = un personnage indiscret

● Plusieurs adjectifs qualificatifs peuvent être **épithètes d'un même nom**.

Cet hôpital dispose d'un personnel compétent et dévoué.

● L'adjectif épithète peut se rapporter à un **pronom indéfini** auquel il est relié par la préposition *de.*

Il n'y a <u>rien de</u> vrai dans tout ce que tu nous racontes.

La tendresse qui unit la mère à son bébé a <u>quelque chose</u> d'attachant.

● Certains adjectifs qualificatifs épithètes ne peuvent pas être supprimés, sinon la phrase n'aurait plus de sens.

Moussa ne prend jamais la parole ; c'est un garçon timide.

➜ *Moussa ne prend jamais la parole ; ~~c'est un garçon~~.*

POUR EN SAVOIR PLUS

Lorsque l'adjectif qualificatif épithète est séparé du nom par une virgule, on dit que cet adjectif est **détaché**, ou bien qu'il est placé en **apposition** *(voir fiche 51).*

Coiffé d'un large feutre, cet acteur joue le rôle d'un mousquetaire.

1) **Quel est l'adjectif qualificatif épithète dans cette phrase ?**

Cette douce soirée d'été est vraiment très agréable.

A. ☑ douce   B. ❑ vraiment   C. ❑ très   D. ❑ agréable

2) **Quel est l'adjectif qualificatif épithète dans cette phrase ?**

Cette personne chaleureuse a beaucoup d'amis parmi ses voisins.

A. ❑ beaucoup   B. ☑ chaleureuse   C. ❑ parmi   D. ❑ voisins

3) **Complète la phrase avec les adjectifs qualificatifs épithètes qui conviennent.**

Au XIXe siècle, Édouard Manet fut un ... peintre ... .

A. ❑ grands / animaliers   B. ☑ célèbre / impressionniste

C. ❑ lointain / malicieuse   D. ❑ fragile / musicale

4) **Quels sont les adjectifs qualificatifs épithètes dans cette phrase ?**

Ce voyageur étourdi a oublié sa précieuse valise ; elle est sûrement perdue.

A. ❑ voyageur / valise   B. ❑ oublié / sûrement

C. ❑ précieuse / perdue   D. ☑ étourdi / précieuse

Careless

5) **Complète la phrase avec les adjectifs qualificatifs épithètes qui conviennent.**

Les ... piquants des oursins percent la ... chair des pieds des baigneurs ... .

A. ☑ longs / tendre / imprudents   B. ❑ longues / tendrement / imprudent

C. ❑ long / tendre / imprudent   D. ❑ longue / tendres / imprudentes

6) **Par quel adjectif qualificatif épithète peut-on remplacer les mots soulignés ?**

Albert Einstein, le grand physicien, avait des idées de génie.

A. ❑ géniaux   B. ❑ génial   C. ❑ géniale   D. ☑ géniales

7) **À quel mot se rapporte l'adjectif qualificatif épithète souligné ?**

Ce matin, parmi tous les élèves de la classe, il n'y en a aucun d'attentif.

A. ❑ élèves   B. ❑ classe   C. ☑ aucun   D. ❑ matin

pronom indéfini

8) **Par quel adjectif qualificatif peut-on remplacer l'adjectif épithète souligné ?**

M. Thénoz est un brave homme ; il est apprécié de tous.

A. ❑ vaillant   B. ☑ honnête   C. ❑ courageux   D. ❑ valeureux

corrigé page 140

● Le **complément du nom** précise ou complète le sens d'un nom ou d'un groupe nominal ; il est introduit par une **préposition**.

un jambon de Bayonne – des moulins à vent – de jolis bijoux en or –
un mot pour rire – un téléphone sans fil

● Le complément du nom ne s'accorde ni en genre ni en nombre avec le nom qui le précède, mais il peut être au **singulier** ou au **pluriel**, selon le sens :

▸ au singulier s'il désigne l'espèce ou bien la matière :
des peaux de mouton – des chefs d'orchestre – des extraits de naissance

▸ au pluriel s'il désigne des êtres ou des choses qui peuvent se compter :
un groupe de musiciens – un fruit à pépins – un pot de fleurs –
un battement de mains

Le complément du nom peut être :

▸ un **nom** : *des véhicules Diesel – une crème caramel – des fauteuils Louis XV*

▸ un **groupe nominal prépositionnel**, souvent introduit par la préposition *de* :
Ce musicien de quinze ans est un virtuose de la guitare.

▸ un **pronom** : *Trier les déchets, c'est la responsabilité de tous.*

▸ un **adverbe** : *Dans les récits d'autrefois, les chevaliers étaient tous valeureux.*

▸ un **verbe à l'infinitif** : *Aujourd'hui, tout le monde utilise les machines à calculer.*

▸ une **proposition subordonnée relative** : *La solution que vous proposez n'est pas la bonne ; refaites les calculs.*

● Le sens du complément du nom peut varier selon la **préposition** utilisée.
une tasse à café = une tasse pour servir le café
une tasse de café = une tasse remplie de café
une tasse en porcelaine = une tasse dont la matière est la porcelaine

● Un complément du nom peut être commun à plusieurs noms, à condition que chacun puisse admettre séparément ce complément.
La gentillesse et la disponibilité de Farida sont appréciées de tous.

1) **Quel est le complément du nom de la phrase ?**

Les éléphants d'Afrique ont de longues défenses et de grandes oreilles.

A. ☐ Les éléphants   B. ☐ de grandes oreilles

C. ☐ de longues défenses   D. ☑ d'Afrique

2) **Quelle préposition introduit le complément du nom ?**

Le proverbe affirme qu'il n'y a jamais de fumée ... feu.

A. ☐ à   B. ☐ de   C. ☐ avec   D. ☑ sans

3) **Quelle est la nature grammaticale du complément du nom de la phrase ?**

Nous n'avons reçu aucune nouvelle de toi ; est-ce normal ?

A. ☐ nom   B. ☑ pronom   C. ☐ infinitif   D. ☐ adverbe

4) **Quelle préposition introduit le complément du nom ?**

M. Lopez ne fait jamais d'achats ... crédit.

A. ☐ de   B. ☑ à   C. ☐ pour   D. ☐ selon

5) **Par quel complément du nom peut-on remplacer l'adjectif souligné ?**

Le bois est le matériau principal des chalets montagnards.

A. ☑ de montagne   B. ☐ de montage

C. ☑ aux montagnes   D. ☐ pour monter

6) **Complète la phrase avec les compléments du nom qui conviennent.**

Le fromage ... est fait avec du lait ... .

A. ☐ de chèvre / à tartiner   B. ☐ frais / écrémé

C. ☑ de la vallée d'Ossau / de brebis   D. ☐ en barquette / sans poudre

7) **Quelle est la nature grammaticale du complément du nom souligné ?**

Le piton rocheux dont on aperçoit le sommet reste enneigé jusqu'en mai.

A. ☑ groupe nominal   B. ☐ infinitif

C. ☑ proposition relative   D. ☐ adverbe

8) **Complète la phrase avec les compléments du nom qui conviennent.**

Les parcs ... sont nombreux dans le bassin ... .

A. ☑ à huîtres / d'Arcachon   B. ☐ municipaux / versant

C. ☐ naturels / inondé   D. ☐ automobiles / régional

corrigé page 140

JE RETIENS

● Lorsqu'il est séparé du nom par une ou des virgules, l'**adjectif qualificatif** est mis **en apposition** ; celle-ci apporte un complément d'information :

▸ sur le **nom** : *Dévastées, ces maisons devront être reconstruites.*

▸ sur le **pronom** : *Fatigué, tu n'as pas le courage de continuer.*

● L'adjectif qualificatif placé en apposition est souvent suivi d'un complément.
Ces maisons, dévastées par une tornade, devront être reconstruites.
Fatigué par une longue marche, tu n'as pas le courage de continuer.

JE PROGRESSE

L'apposition peut également être :

▸ un **nom** ou un **groupe nominal** qui désigne obligatoirement le même être ou la même chose que le nom ou le pronom qu'il complète :
Enfant, Mozart composait déjà de petits menuets.
Stromae, le célèbre chanteur belge, se produira prochainement à Nice.

▸ un **groupe pronominal** : *Les énormes poids lourds, ceux qui pèsent plus de 30 tonnes, ne doivent pas emprunter ce pont trop fragile.*

▸ un **groupe infinitif** : *Les musiciens n'ont qu'une préoccupation, suivre les conseils du chef d'orchestre.*

▸ une **subordonnée relative** : *Le viaduc de Millau, qui permet de franchir la vallée du Tarn, peut résister à des vents de plus de 260 km/h.*

POUR EN SAVOIR PLUS

● Plusieurs adjectifs qualificatifs peuvent être placés en apposition.
Calme mais déterminé, le cascadeur attend un signe du metteur en scène pour lancer son véhicule à travers les flammes.

● L'**apposition** peut être reliée au nom par la préposition *de*. Dans ce cas, il ne faut pas la confondre avec le **complément du nom**. L'apposition désigne la même réalité que le nom auquel elle se rapporte, alors que le complément du nom désigne une réalité différente de celle du nom.

La ville *de Marseille*   Les habitants *de Marseille*
apposition   complément du nom

1) **Quelle apposition complète la phrase ?**

Les cordes de la guitare, ..., se sont cassées.

A. ☑ trop tendues   B. ☐ de Sébastien   C. ☐ électrique   D. ☐ ancienne

2) **Quelle apposition complète la phrase ?**

..., l'albatros peine à s'envoler.

A. ☐ Du pont du navire   B. ☑ Gêné par ses gigantesques ailes
C. ☐ Après avoir mangé   D. ☐ En battant des ailes

3) **Quel nom l'apposition soulignée complète-t-elle ?**

Noyées dans le brouillard, les pistes de l'aéroport de Roissy sont impraticables.

A. ☑ pistes   B. ☐ brouillard   C. ☐ aéroport   D. ☐ Roissy

4) **Quelle est l'apposition du nom souligné ?**

Les bidonvilles de la ville de Calcutta, surpeuplés, devront être évacués.

A. ☑ surpeuplés   B. ☐ de la ville   C. ☐ de Calcutta   D. ☐ évacués

5) **Quel nom l'apposition soulignée complète-t-elle ?**

Les plages de la Martinique, _ensoleillées_, accueillent les touristes du monde entier.

A. ☐ touristes   B. ☐ monde entier
C. ☑ plages   D. ☐ Martinique

6) **Quelle est la nature grammaticale de l'apposition soulignée ?**

Manuel n'a qu'une idée en tête, _retrouver son petit chat_.

A. ☐ proposition subordonnée   B. ☐ groupe nominal
C. ☑ groupe infinitif   D. ☐ groupe pronominal

7) **Quelle est l'apposition du nom souligné ?**

Recyclables, ces _produits_ à base de plastique permettent d'économiser de l'énergie.

A. ☐ d'économiser   B. ☑ Recyclables
C. ☐ de l'énergie   D. ☐ à base de plastique

8) **Quelles sont les fonctions des groupes de mots soulignés ?**

Originaires d'Arménie, les abricotiers se sont bien adaptés au climat _de la Provence_.

A. ☐ apposition / apposition

B. ☐ complément du nom / complément du nom

C. ☑ apposition / complément du nom

D. ☐ complément du nom / apposition

corrigé page 141

JE RETIENS

● L'**attribut** apporte une précision à un **groupe sujet** dont il est séparé par un verbe.

Les premiers vols spatiaux furent compliqués.
             sujet   verbe   attribut du sujet

● L'attribut du sujet **appartient au groupe verbal** ; il est **indispensable** : si on le supprime, la phrase n'a plus de sens.

Neil Armstrong demeure le premier homme qui a marché sur la Lune.
      GS   attribut du sujet
                             GV

JE PROGRESSE

● L'attribut du sujet est souvent un **adjectif qualificatif** (ou un participe passé employé comme adjectif).

Les crocodiles semblent endormis.

● Il peut aussi être :

▸ un **groupe nominal** : *Le lion est le roi des animaux de la savane.*

▸ un **pronom** : *Si j'étais vous, je ne me baignerais pas alors que flotte le drapeau rouge.*

▸ un **groupe infinitif** : *Mon vœu le plus cher serait de visiter les temples et les pyramides d'Égypte.*

▸ un **adverbe** pris comme adjectif : *Comme il n'y a plus de places assises, nous restons debout.*

▸ une **proposition subordonnée** : *La vérité est qu'il n'y a jamais eu de requins dans ce lagon.*

POUR EN SAVOIR PLUS

● L'attribut du sujet se construit avec :

▸ des **verbes d'état** (*être, sembler, paraître, avoir l'air, se montrer, se révéler, demeurer, rester...*) : *Elle a l'air triste.*

▸ des **verbes d'appellation au passif** (*être nommé, être élu, être jugé, être reconnu...*) : *Il a été reconnu coupable.*

▸ des **verbes d'action intransitifs** (*arriver, naître, partir, rentrer...*) : *Ils sont partis rassurés.*

● Il ne faut pas confondre l'attribut du sujet avec le complément d'objet direct.

Sylvia et Louisa sont tes amies.   *Tu rencontres tes amies.*
             attribut du sujet   COD

1) Quel attribut du sujet complète la phrase ?

Jeanne d'Arc demeure ... .

A. ☐ brûlée par les Anglais   B. ☑ une héroïne de l'histoire de France

C. ☐ à Domrémy   D. ☐ pendant la guerre de Cent Ans

2) Quelle est la nature grammaticale de l'attribut du sujet dans cette phrase ?

Ce nouvel ordinateur n'est pas facile à programmer.

A. ☐ groupe nominal   B. ☐ proposition subordonnée

C. ☐ adverbe pris comme adjectif   D. ☑ groupe adjectival

3) Quelles sont les fonctions des groupes de mots soulignés ?

La cigale, très insouciante, se trouva fort dépourvue quand la bise fut venue.

A. ☐ attribut du sujet / épithète   B. ☑ apposition / attribut du sujet

C. ☐ épithète / épithète   D. ☐ attribut du sujet / apposition

4) De quel sujet l'adjectif souligné est-il l'attribut ?

Ce canapé, qui semble pourtant confortable, n'est vraiment pas cher.

A. ☐ Ce canapé   B. ☑ qui   C. ☐ pourtant   D. ☐ vraiment

5) Quelles sont les fonctions des groupes de mots soulignés ?

Morat adore les choux à la crème ; il est vraiment gourmand.

A. ☐ apposition / épithète

B. ☐ attribut du sujet / complément d'objet direct

C. ☑ complément d'objet direct / attribut du sujet

D. ☐ attribut du sujet / attribut du sujet

6) Quelles sont les fonctions des adjectifs qualificatifs soulignés ?

L'attente est longue, mais les spectateurs patients obtiendront les meilleures places.

A. ☑ attribut du sujet / épithète / épithète

B. ☐ apposition / attribut du sujet / apposition

C. ☐ épithète / apposition / attribut du sujet

D. ☐ attribut du sujet / attribut du sujet / apposition

7) Quelle est la fonction du groupe de mots souligné ?

Au dire de tous les journalistes, ce skieur passe pour un futur champion.

A. ☐ complément d'objet indirect   B. ☐ complément d'objet direct

C. ☐ complément de manière   D. ☑ attribut du sujet

8) Combien y a-t-il d'attributs du sujet dans cette phrase ?

Tous les mercredis, Rémi rentre de la piscine fatigué, affamé mais heureux.

A. ☐ 0   B. ☐ 1   C. ☐ 2   D. ☑ 3

corrigé page 141

Corrigés

Fiche 40. Le groupe sujet – Le groupe verbal

1) Réponse A – influence
Tous les autres mots du groupe sujet peuvent être supprimés sans que la phrase soit incorrecte.

2) Réponse C – Une haie de cyprès sépare les deux champs.
Les adjectifs *touffues* et *local* ne sont pas accordés au féminin singulier. Quant à *chou*, pour éventuellement convenir, il aurait fallu le mettre au pluriel. Mais on n'a jamais vu de haie de choux…

3) Réponse D – Dans le désert, les caravaniers voient parfois des mirages.
Le verbe est conjugué au pluriel et les palmiers ne sauraient voir des mirages…

4) Réponses : D + A ; D + C ; D + B
Les soldats portent un képi à la caserne.
Les soldats portent un képi en permanence.
Les soldats portent un képi toute la journée.
De fait, toutes les réponses conviennent, mais le COD *un képi* doit être impérativement présent. On peut même les combiner : « Les soldats portent un képi en permanence à la caserne. »

5) Réponse A – Les giboulées de mars provoquent une baisse de la température.
Le verbe doit être conjugué à la 3e personne du pluriel.

6) Réponse C – pronom indéfini

7) Réponse B – L'Australie / des kangourous
Le second groupe sujet est placé après le verbe *vivent*.

8) Réponse B – 3
Les compléments sont : *comme je suis malade* ; *les devoirs* ; *tous les soirs*.

Fiche 41. Le complément d'objet direct

1) Réponse B – les obstacles

2) Réponse C – La glace à la vanille, je la préfère avec un peu de crème Chantilly.
Le pronom personnel complément d'objet direct remplace *glace*, donc féminin singulier → *la*.

3) Réponse C – des conseils

4) Réponse B – mérites
Cette publicité est le groupe sujet, et les autres mots du COD peuvent être supprimés pour obtenir la phrase minimale : « Cette publicité vante les mérites. »

5) Réponse A – Les Africaines transportent des marchandises sur leur tête.

6) Réponse B – le rôle d'un espion / l'
Le pronom personnel *l'* remplace le nom *film*.

7) Réponse D – les papiers / les / les
Les deux pronoms personnels *les* remplacent *les papiers*.

8) Réponse C – que le jardinier arrosera les massifs d'hortensias / les massifs d'hortensias
Attention ! À l'intérieur du premier COD, une proposition subordonnée, il y a un autre COD : *les massifs d'hortensias*. On les retrouve facilement en posant la question « quoi ? » après les verbes *je pense* et *arrosera*.

Fiche 42. Le complément d'objet indirect

1) Réponse C – aux jeunes
Rappel : pour identifier le COI, on pose la question « à qui ? », « de qui ? », « à quoi ? », « de quoi ? » après le verbe.

2) Réponse D – à un concert de rock

3) Réponse A – aux fantômes

4) Réponse B – Nous profitons d'une accalmie pour sortir.
Toutes les autres propositions de réponse donnent des phrases incorrectes.

5) Réponse B – à un peu de repos

6) Réponse C – adverbe
Le COI est *à mieux*.

7) Réponse B – d'une réduction

8) Réponse D – Mes parents effectueront un voyage en Chine ; ils y songeaient depuis un an.

Fiche 43. Le complément d'objet second

1) Réponse C – aux locataires de l'immeuble
Il faut d'abord identifier le COD : *le courrier*.

2) Réponse A – au joueur brutal
Il faut d'abord identifier le COD : *un avertissement*.

3) Réponse D – aux douaniers
Il faut d'abord identifier le COD : *leur passeport*.

4) Réponse D – à n'importe qui
À noter que le COS est placé avant le COD, puisque celui-ci est plus long.

5) Réponse C – Le directeur informe les parents d'élèves de son départ à la retraite.
La proposition *de l'école* est complément du nom *parents*.

6) Réponse C – pronom personnel
Le pronom personnel *lui* remplace le nom *chauffard* dans la seconde partie de la phrase.

7) Réponse B – aux jurés
Il faut d'abord identifier le COD : *son innocence*.

8) Réponse B – groupe nominal
Le COS est : *à tout le monde*.

Fiche 44. Le complément circonstanciel de temps

1) Réponse C – Au moindre bruit
Rappel : pour identifier le CCT, on pose la question « quand ? » ou « combien de temps ? » en début de phrase. Soit ici : « Quand l'alarme se déclenche-t-elle ? » ➔ *au moindre bruit*.

2) Réponse B – à l'instant

3) Réponse A – Le jour de l'Épiphanie

4) Réponse B – Dylan a marqué le panier de la victoire à la dernière seconde.

Corrigés

5) Réponse D – À la fin de l'été, les hirondelles se rassemblent sur les fils électriques.

6) Réponse C – adverbe
Le CCT est *autrefois*.

7) Réponse A – Chaque 1ᵉʳ Mai, nous offrons des brins de muguet à nos amis.

8) Réponse A – proposition subordonnée
Le CCT est *quand le chat n'est pas là*.

Fiche 45. Le complément circonstanciel de lieu

1) Réponse C – sur des pitons rocheux
Rappel : pour identifier le CCL, on pose la question « où ? » ou « à quel endroit ? » en début de phrase. Soit ici : « Où les châteaux des seigneurs étaient-ils bâtis ? » ➜ *sur des pitons rocheux*.

2) Réponse B – Perrine a osé plonger du grand tremplin.

3) Réponse C – place Colbert

4) Réponse D – le lieu où l'on passe
Le CCL est *sur les toits*.

5) Réponse A – Les routiers se reposent sur l'aire d'autoroute.

6) Réponse A – Jordi marche le long du canal.

7) Réponse B – devant les guichets

8) Réponse B – le lieu où l'on est
Le CCL est *dans les Pyrénées*.

Fiche 46. Le complément circonstanciel de manière

1) Réponse C – avec plus de soin
Rappel : pour identifier le CCM, on pose la question « comment ? » en début de phrase. Soit ici : « Comment certains élèves pourraient-ils écrire ? » ➜ *avec plus de soin*.

2) Réponse A – en sifflotant
Ne pas confondre le CCM *en sifflotant* et l'apposition *heureux de son sort*.

3) Réponse B – Ne sortez pas en mer sans prévenir la capitainerie.

4) Réponse D – Ce nouvel ordinateur fonctionne sans clavier.

5) Réponse D – Léa sort précipitamment, car elle est en retard.
Dans les propositions A, B et C, les adjectifs *furieuse*, *heureuse* et *pressée* sont attributs du sujet.

6) Réponse A – groupe nominal
Le CCM est *d'un pas martial*.

7) Réponse B – en regrettant sa naïveté
Ne pas confondre le CCM *en regrettant sa naïveté* et les adjectifs mis en apposition *honteux et confus*.

8) Réponse C – groupe du participe présent
Le CCM est *en lançant les dés sur le tapis*.

Fiche 47. Le complément circonstanciel de cause

1) Réponse D – puisqu'il est périmé
Rappel : pour identifier le CC de cause, on pose la question « pourquoi ? » en début de phrase. Soit ici : « Pourquoi ne devez-vous pas consommer ce yaourt aux fruits ? » ➜ *puisqu'il est périmé*

2) Réponse D – Puisque tu as réponse à tout, aide-moi à enregistrer cette application.

3) Réponse C – Comme l'hiver a été long, les pêchers ne sont pas encore fleuris.

4) Réponse B – Filtrant les particules

5) Réponse A – groupe infinitif
Le complément circonstanciel de cause est *pour signaler un danger*.

6) Réponse A – Pour laver plus blanc, utilisez la lessive Le Minet !

7) Réponse C – Un télescope est installé au sommet du pic du Midi pour observer les étoiles.

8) Réponse B – groupe prépositionnel
Le complément circonstanciel de cause est *à cause du verglas*.

Fiche 48. Le complément circonstanciel de conséquence

1) Réponse A – si bien qu'elles restent dans leur trou
Rappel : pour identifier le CC de conséquence, on pose la question « quelle en est la conséquence ? ». Soit ici : « Le chat de la voisine guette les souris ; quelle en est la conséquence ? » ➜ *si bien qu'elles restent dans leur trou.*

2) Réponse D – Ninon est timide si bien qu'elle rougit facilement.
Les autres réponses sont des compléments de lieu ou de temps.

3) Réponse B – Le spectacle a connu un grand succès, au point que des représentations supplémentaires sont prévues.

4) Réponse A – Les bergers ont tellement peur du loup qu'ils ne laissent pas leurs moutons paître n'importe où.

5) Réponse A – complément de lieu / complément de conséquence

6) Réponse B – groupe infinitif
Le complément de conséquence est *de manière à se poser sans encombre*. Ce complément est introduit par la locution prépositionnelle *de manière à*.

7) Réponse C – par une proposition coordonnée
La proposition coordonnée est *ainsi tu n'auras plus froid*.

8) Réponse B – proposition subordonnée
La proposition subordonnée est *que Heidi ne peut l'atteindre*. Cette proposition subordonnée est associée à l'adverbe de quantité *si*, placé dans la principale.

Fiche 49. L'adjectif épithète

1) Réponse A – douce
L'autre adjectif qualificatif, *agréable*, est attribut du sujet.

2) Réponse B – chaleureuse
Il n'y a qu'un seul adjectif qualificatif.

3) Réponse B – Au xixᵉ siècle, Édouard Manet fut un célèbre peintre impressionniste.
Les deux adjectifs doivent être accordés au masculin singulier ; une seule réponse convient.

4) Réponse D – étourdi / précieuse
Étourdi est épithète du nom *voyageur* et *précieuse* est épithète du nom *valise*. Quant à l'adjectif *perdue*, il est attribut du sujet *elle*.

5) Réponse A – Les longs piquants des oursins percent la tendre chair des pieds des baigneurs imprudents.
Il suffit d'examiner les accords des adjectifs qualificatifs avec les noms.

6) Réponse D – géniales
L'adjectif qualificatif doit être accordé avec le nom *idées*, féminin pluriel ➜ *géniales*.

7) Réponse C – aucun
Aucun est un pronom indéfini.

8) Réponse B – honnête
Placé avant le nom, l'adjectif *brave* est synonyme de *honnête* ; placé après le nom, il serait synonyme de *vaillant*, *courageux* ou *valeureux*.

Fiche 50. Le complément du nom

1) Réponse D – d'Afrique
La proposition A est le nom principal du groupe nominal sujet. Les propositions B et C sont des COD.

2) Réponse D – Le proverbe affirme qu'il n'y a jamais de fumée sans feu.

3) Réponse B – pronom
Le seul nom de la phrase est *nouvelle* ; le repérage du complément du nom *de toi* est donc aisé.

4) Réponse B – M. Lopez ne fait jamais d'achats à crédit.
Il faut se laisser guider par le sens.

5) Réponse A – Le bois est le matériau principal des chalets de montagne.

6) Réponse C – Le fromage de la vallée d'Ossau est fait avec du lait de brebis.
Le sens permet d'écarter les propositions A et D ; quant à la proposition B, elle présente deux adjectifs qualificatifs.

7) Réponse C – proposition relative

8) Réponse A – Les parcs à huîtres sont nombreux dans le bassin d'Arcachon.
C'est la seule proposition qui contient deux groupes prépositionnels.

Corrigés

Fiche 51. L'apposition

1) Réponse A – Les cordes de la guitare, trop tendues, se sont cassées.

2) Réponse B – Gêné par ses gigantesques ailes, l'albatros peine à s'envoler.

3) Réponse A – pistes
L'adjectif *noyées* est accordé au féminin pluriel ; seul le nom *pistes* convient.

4) Réponse A – surpeuplés

5) Réponse C – plages
L'adjectif *ensoleillées* est accordé au féminin pluriel ; seul le nom *plages* convient.

6) Réponse C – groupe infinitif
La présence du verbe infinitif *retrouver* induit rapidement la réponse.

7) Réponse B – Recyclables

8) Réponse C – apposition / complément du nom
Le premier groupe de mots est une apposition du nom *abricotiers*, et le second groupe de mots, un complément du nom *climat*.

Fiche 52. L'attribut du sujet

1) Réponse B – Jeanne d'Arc demeure une héroïne de l'histoire de France.

2) Réponse D – groupe adjectival
L'attribut du sujet est *facile à programmer*.

3) Réponse B – apposition / attribut du sujet

4) Réponse B – qui
Dans la proposition subordonnée relative, *qui* est mis pour le nom *canapé* et il est sujet du verbe *semble*. *Cher* est attribut du sujet *canapé*.

5) Réponse C – complément d'objet direct / attribut du sujet
Le verbe *adore* n'est pas un verbe d'état, donc le groupe nominal *les choux à la crème* est bien un COD.

6) Réponse A – attribut du sujet / épithète / épithète
Le premier adjectif, *longue*, est clairement un attribut du sujet *l'attente*, duquel il est séparé par le verbe *est*.

7) Réponse D – attribut du sujet
Dans ce cas, le verbe *passe* est un verbe d'appellation au passif.

8) Réponse D – 3
Les trois attributs du sujet *Rémi* sont : *fatigué*, *affamé*, *heureux*.

4. PROPOSITIONS, MODES ET TEMPS

clause

Les propositions indépendantes, principales et subordonnées

JE RETIENS

Une **proposition** est un ensemble de mots organisés autour d'un verbe conjugué.

● Une **proposition indépendante** ne dépend d'aucune proposition et aucune proposition ne dépend d'elle. C'est une phrase à elle seule.

Le dompteur recula d'un pas.
Toute la famille rentre satisfaite de ses dernières vacances.

● Une **proposition principale** a sous sa dépendance une ou plusieurs autres propositions, dites **subordonnées**.

Le dompteur recula d'un pas lorsque le tigre se fit agressif.
   prop. principale   prop. subordonnée

● Une **proposition subordonnée** dépend d'une autre proposition et n'a de sens que par rapport à cette dernière ; elle est généralement introduite par une **conjonction de subordination** (*voir fiche 27*).

JE PROGRESSE

● Une proposition principale ou subordonnée peut en contenir une autre.

Le dompteur, qui n'avait pas de fouet, recula d'un pas
           prop. subordonnée
         prop. principale

lorsque le tigre se fit agressif parce qu'il avait peur du cercle de feu.
   prop. subordonnée   prop. subordonnée

● Certaines propositions subordonnées peuvent être déplacées et précéder la proposition principale.

Lorsque le tigre se fit agressif, le dompteur recula d'un pas.
   prop. subordonnée   prop. principale

POUR EN SAVOIR PLUS

● Certaines propositions sont construites autour d'un **verbe à l'infinitif** ou d'un **participe**.

Savez-vous comment planter un clou ?
prop. principale   prop. subordonnée
Vous ferez des économies en comparant ces prix.
   prop. principale   prop. subordonnée

● La proposition indépendante peut être très brève, et même réduite à un seul mot dans les dialogues.

Attention ! – Avancez ! – Patrice, toi ici ? – Aïe !

1) Quel mot manque-t-il pour obtenir une proposition indépendante ?

Le beau temps nous ... enfin de sortir bras nus.

A. ☐ certain   B. ☑ permet   C. ☐ permettre   D. ☐ volontiers

2) Combien y a-t-il de propositions dans cette phrase ?

Comme le bus avait du retard, je suis arrivé après le début du cours.

A. ☐ 1   B. ☑ 2   C. ☐ 3   D. ☐ 4

3) Quelle est la nature grammaticale de la proposition soulignée ?

Afin de tracer un cercle, j'emprunterai ton compas si cela ne t'ennuie pas.

A. ☐ indépendante   B. ☑ principale   C. ☐ subordonnée

4) Combien y a-t-il de propositions subordonnées dans cette phrase ?

principal   *Tu fais ton possible afin que ton devoir soit corrigé*

lorsque tu le remettras au professeur.

A. ☐ 1   B. ☑ 2   C. ☐ 3   D. ☐ 4

5) Quelle est la nature grammaticale de la proposition soulignée ?

Quand je l'appelle, mon chat Miro vient se frotter contre mes jambes.

A. ☐ indépendante   B. ☐ principale   C. ☑ subordonnée

6) Quelle proposition manque-t-il dans cette phrase ?

bricklayer

Puisque la grue ne fonctionne plus, ...   *crane*

A. ☐ sauf qu'elle est en panne   B. ☐ quand elle est en panne

C. ☐ avant qu'elle soit réparée   D. ☑ les maçons ne peuvent travailler

7) Quelle est la nature grammaticale de la proposition soulignée ?

Le dessert était si bon que Mandy ne m'a rien laissé. Elle a tout pris !

A. ☑ indépendante   B. ☐ principale   C. ☐ subordonnée

8) Complète la phrase avec la proposition subordonnée qui convient.

Ce film ... m'a à nouveau déçu.

A. ☐ quand il est en couleurs   B. ☐ en noir et blanc

C. ☐ d'aventures   D. ☑ que j'avais déjà vu

4. PROPOSITIONS, MODES ET TEMPS

54 Les propositions juxtaposées et coordonnées

JE RETIENS

● Les **propositions indépendantes** peuvent être **juxtaposées**, c'est-à-dire reliées par une virgule, un point-virgule ou deux-points.

Tu écris trop petit ; ton texte est illisible.

● Les **propositions indépendantes** peuvent aussi être **coordonnées**, c'est-à-dire reliées par une conjonction de coordination, une locution conjonctive *(voir fiche 26)* ou un adverbe de liaison.

Tu écris trop petit et ton texte est illisible.

REMARQUE Dans certains cas, la conjonction de coordination est précédée d'une virgule.

Tu écris trop petit, donc ton texte est illisible.
Tu écris trop petit, par conséquent ton texte est illisible.
Tu écris trop petit, ainsi ton texte est illisible.

JE PROGRESSE

● On peut trouver dans une même phrase des propositions juxtaposées et des propositions coordonnées.

Tu sonnes, tu pousses la porte et tu pénètres dans la salle d'attente, car tu as rendez-vous avec le médecin.

● Dans les propositions coordonnées et juxtaposées, le groupe sujet ou le verbe peuvent ne pas être exprimés pour éviter des répétitions. Ce sont des **propositions elliptiques**.

L'infirmier désinfecte la plaie, pose un pansement et donne un calmant au blessé. (absence de groupe sujet)
Le grand frère de Miranda fréquente un collège, sa sœur un lycée et son petit frère l'école maternelle. (absence de verbe conjugué)

POUR EN SAVOIR PLUS

Certaines phrases n'ont pas de verbe ; elles sont le plus souvent indépendantes, mais peuvent être coordonnées ou juxtaposées.

Feux de forêt dans les Landes ; dégâts considérables.
De bonnes intentions, mais sans résultat.

REMARQUE Le rapport de sens entre les propositions juxtaposées est souvent moins fort que celui entre les propositions coordonnées.

1) **Quelle est la nature grammaticale de la proposition soulignée ?**

   Lilian n'arrivera pas à l'heure ; <u>il va rater le début de la séance</u>.

   A. ❑ prop. indépendante coordonnée   B. ❑ prop. principale

   C. ❑ prop. subordonnée   D. ☑ prop. indépendante juxtaposée

2) **Complète la phrase avec la proposition coordonnée qui convient.**

   M. Broyer passe devant le rayon des surgelés, … .

   A. ❑ avant qu'il se dirige vers la caisse   B. ☑ puis il se dirige vers la caisse

   C. ❑ sitôt qu'il se dirige vers la caisse   D. ❑ afin qu'il se dirige vers la caisse

3) **Quelle est la nature grammaticale de la proposition soulignée ?**

   <u>Le tapis est taché, donc il faudra le porter au pressing.</u>

   A. ☑ prop. indépendante coordonnée   B. ❑ prop. principale

   C. ❑ prop. indépendante juxtaposée   D. ❑ prop. subordonnée

4) **Quelle est la nature grammaticale des propositions de cette phrase ?**

   Le frère de Valentin est content : il a trouvé du travail.

   A. ❑ propositions subordonnées   B. ☑ propositions juxtaposées

   C. ❑ propositions coordonnées   D. ❑ propositions principales

5) **Complète la phrase avec la proposition coordonnée qui convient.**

   Le meeting aérien se déroulera normalement, … .

   A. ❑ pour peu qu'il fasse beau   B. ☑ car il fera beau

   C. ❑ qui durait longtemps   D. ❑ dont on parle beaucoup

6) **Quelle est la nature grammaticale des propositions de cette phrase ?**

   Le prix du carburant a augmenté, aussi les automobilistes roulent-ils moins vite.

   A. ❑ propositions subordonnées   B. ❑ propositions juxtaposées

   C. ☑ propositions coordonnées   D. ❑ propositions principales

7) **Transforme ces propositions coordonnées en propositions juxtaposées.**

   On ne joue pas avec les allumettes, car on peut se brûler.

   A. ☑ On ne joue pas avec les allumettes ; on peut se brûler.

   B. ❑ On ne joue pas avec les allumettes. On peut se brûler.

   C. ❑ On ne joue pas avec les allumettes parce qu'on peut se brûler.

8) **Transforme ces propositions juxtaposées en propositions coordonnées.**

   Tu as misé sur les bons numéros ; tu as gagné le gros lot.

   A. ☑ Tu as misé sur les bons numéros et tu as gagné le gros lot.

   B. ❑ Tu as misé sur les bons numéros puisque tu as gagné le gros lot.

   C. ❑ Comme tu as misé sur les bons numéros, tu as gagné le gros lot.

corrigé page 172

55 — Les propositions subordonnées conjonctives : complétives et circonstancielles

JE RETIENS

● Les propositions introduites par une conjonction de subordination ou une locution conjonctive (*voir fiche 27*) s'appellent des propositions **subordonnées conjonctives**.

● On distingue deux sortes de propositions subordonnées conjonctives : les subordonnées **complétives** et les subordonnées **circonstancielles**.

▸ Les propositions subordonnées **complétives** sont introduites par *que* ; elles **complètent** le verbe de la proposition principale ; elles sont le plus souvent compléments d'objet du verbe de la principale et ne peuvent être ni déplacées ni supprimées.
Tu t'assures que la batterie de ton portable est rechargée.

▸ Les propositions subordonnées **circonstancielles** sont introduites par une locution conjonctive ; elles expriment une circonstance de l'action de la principale.
Tu ne peux plus téléphoner quand la batterie de ton portable est déchargée.

JE PROGRESSE

● Les propositions subordonnées circonstancielles peuvent suivre ou précéder la proposition principale, tout comme s'insérer dans cette dernière.
Hugo n'a pas corrigé toutes les erreurs, bien qu'il ait relu son devoir.
Bien qu'il ait relu son devoir, Hugo n'a pas corrigé toutes les erreurs.
Hugo, bien qu'il ait relu son devoir, n'a pas corrigé toutes les erreurs.

● Il est possible qu'une proposition subordonnée dépende d'une autre proposition subordonnée et non de la proposition principale.

Il faudra que tu apportes un cadeau quand tu iras chez tes cousins.
prop. principale   prop. subordonnée   prop. subordonnée

Bien que - although

POUR EN SAVOIR PLUS

La proposition subordonnée complétive n'est pas toujours complément d'objet du verbe ; elle est parfois :

▸ sujet du verbe : *Que ce pantalon ne soit pas à ma taille m'ennuierait beaucoup.*

▸ attribut du sujet : *Le problème est que la clé n'entre pas dans la serrure !*

JE M'ENTRAÎNE

1) Quelle est la nature grammaticale de la proposition soulignée ?

Lors du tournoi, je ne pensais pas que mes adversaires seraient aussi forts.

A. ☐ proposition indépendante   B. ☑ proposition complétive
C. ☐ proposition circonstancielle   D. ☐ proposition principale

2) Complète la phrase avec la subordonnée circonstancielle qui convient.

Le vétérinaire assure que ce veau irait mieux ... calf

A. ☑ s'il tétait sa mère   B. ☐ dans une semaine
C. ☐ qu'il ne le pensait   téter,   D. ☐ en cas de guérison
suckle/souck

3) Quelle est la nature grammaticale de la proposition soulignée ?

Ne laissez pas le robinet du gaz ouvert ; un accident est si vite arrivé.

A. ☑ proposition indépendante   B. ☐ proposition complétive
C. ☐ proposition circonstancielle   D. ☐ proposition principale

4) Quelle proposition complétive remplace le COI souligné ?

Ces ingénieurs croient à l'efficacité de leurs robots.

A. ☐ quand leurs robots sont efficaces   B. ☐ leurs robots efficaces
C. ☐ pour l'efficacité de leurs robots   D. ☑ que leurs robots sont efficaces

5) Quelle est la nature grammaticale de la proposition soulignée ?

Il faut laisser la priorité aux pompiers quand ils actionnent leur sirène.

A. ☐ proposition indépendante   B. ☐ proposition complétive
C. ☑ proposition circonstancielle   D. ☐ proposition principale

6) Quelle proposition circonstancielle remplace le complément de temps souligné ?

À la sortie du château, le carrosse royal parcourut les rues de la capitale. course, journey, route (verbe)

A. ☐ Après la sortie du château   B. ☐ Qu'il sorte du château
C. ☑ Quand il sortit du château   D. ☐ Sur le seuil du château
voiture tirée par des chevaux

7) Quelle proposition complétive remplace le COD souligné ?

some → (Quelques) *élèves souhaiteraient une récréation plus longue.*

A. ☐ la longueur de la récréation   B. ☐ quand arrive la récréation
C. ☐ plutôt une longue récréation   D. ☑ que la récréation soit plus longue

8) Quelle est la nature grammaticale de la proposition soulignée ?

Les services de la météo nous informent que le soleil brillera demain.

A. ☐ proposition indépendante   B. ☑ proposition complétive
C. ☐ proposition circonstancielle   D. ☐ proposition principale

JE RETIENS

La **proposition subordonnée relative** permet de compléter un nom (ou un pronom) appartenant généralement à la proposition principale ; elle est introduite par un **pronom relatif** simple (*qui, que, quoi, dont, où*) ou composé (*lequel, laquelle, duquel, lesquels, auxquelles*, etc.), du même genre et du même nombre que le mot qu'il complète, son **antécédent**.

> Mme Ritchie s'installe dans son fauteuil <u>où</u> elle compte faire une sieste.
> Je prends soin des albums <u>auxquels</u> je tiens le plus.
> La scène, vers <u>quoi</u> convergent tous les regards, paraît immense.

JE PROGRESSE

● La proposition subordonnée relative peut être insérée dans la proposition principale.

> Le boxeur, <u>qui</u> semblait pourtant K.-O., se relève lentement.

● Les pronoms relatifs composés peuvent être précédés d'une préposition.

> Les amis avec <u>lesquels</u> je m'étais lié l'an dernier ne sont pas dans ma classe cette année.

● Il ne faut pas confondre la proposition subordonnée complétive introduite par *que* avec la proposition subordonnée relative également introduite par *que*.

> Le professeur propose que nous rédigions un exposé sur l'Espagne.
>   subordonnée complétive
> Nous avons présenté l'exposé sur l'Espagne que nous devions rédiger.
>   subordonnée relative

● Les propositions subordonnées dont l'antécédent est un pronom démonstratif ne peuvent pas être supprimées.

> De tous ces tableaux, je préfère celui <u>qui</u> représente le port de Sète.
> Ce <u>qui</u> se conçoit bien s'énonce clairement.
> C'est bien malheureux, mais ce <u>qui</u> devait arriver arriva.

POUR EN SAVOIR PLUS

Il existe des subordonnées relatives sans antécédent qui sont introduites par les pronoms relatifs *qui* et *où*. Leur fonction est sujet ou complément du verbe.

> <u>Qui</u> va à la chasse perd sa place.
> Personne ne sait <u>où</u> se trouve le trésor du pirate Barbe-Noire.
> <u>Qui</u> sème le vent récolte la tempête.

sudden

1) Quel est l'antécédent de la subordonnée relative soulignée ?

Les chevaux sont sur la ligne de départ et, soudain, on les voit <u>qui s'élancent</u>.

A. ❏ Les chevaux   B. ❏ la ligne   C. ❏ soudain   D. ☑ les

2) Quelle est la nature grammaticale de la proposition soulignée ?

cahier   *La caissière enregistre le prix de tous les articles <u>que je place devant elle</u>.*

A. ☑ proposition relative   B. ❏ proposition principale

C. ❏ proposition circonstancielle   D. ❏ proposition complétive

3) Complète la phrase avec la proposition relative qui convient.

Pouvez-vous m'indiquer un magasin ... ?

A. ❏ quand je ne connaissais pas   B. ☑ où je trouverai un sac de sport

C. ❏ auxquels vous pensez   D. ❏ qui je cherche l'adresse

4) Quelle est la nature grammaticale de la proposition soulignée ?

Les automobilistes attendent <u>que le feu passe au vert</u>.

A. ❏ proposition relative   B. ❏ proposition principale

C. ❏ proposition circonstancielle   D. ☑ proposition complétive

5) Quelle est la fonction de la proposition relative de cette phrase ?

Les recherches auxquelles ce savant a consacré toute sa vie ont enfin abouti.

A. ❏ complément circonstanciel de temps du verbe *a consacré*

B. ☑ complément du nom *recherches*

C. ❏ sujet du verbe *a consacré*

D. ❏ complément d'objet direct du verbe *ont abouti*

6) Quel pronom relatif introduit la subordonnée relative ?

L'éléphant est un animal ... la mémoire est exceptionnelle.

A. ☑ dont   B. ❏ que   C. ❏ qui   D. ❏ auquel

7) Quelle est la fonction de la proposition relative dans cette phrase ?

Qui veut voyager loin ménage sa monture.

A. ❏ complément circonstanciel de manière

B. ❏ complément du nom *monture*

C. ☑ sujet du verbe *ménage*

D. ❏ complément d'objet direct

8) Complète la phrase avec la proposition relative qui convient.

Le professeur nous a posé un problème ... .

A. ❏ qui n'a pas résolu   B. ❏ duquel personne n'a répondu

C. ☑ qu'aucun élève n'a résolu   D. ❏ dans lequel nous l'avons résolu

JE RETIENS

● Le **mode** d'un verbe permet de présenter ce que l'on dit de différentes *(actual / real)* manières : soit comme quelque chose de **réel**, soit comme quelque chose de **possible** ou d'**éventuel**, soit comme un **ordre**, etc.

● Le **temps** d'un verbe permet de situer une action ou un état dans le temps, par rapport au moment où l'on s'exprime : dans le **passé**, le **présent** ou le **futur** *(voir fiches 57 à 65)*.

JE PROGRESSE

● **Les modes**

▷ L'**indicatif** exprime une action ou un état qui ne font pas ou qui ne feront pas de doute. C'est le mode du réel. *Vous apprenez vos leçons.*

▷ L'**impératif** exprime un conseil, une recommandation. C'est le mode de l'ordre ou de la défense. *Apprenez vos leçons.*

▷ Le **conditionnel** exprime une éventualité qui dépend d'une condition ou une hypothèse. C'est le mode de l'incertitude. *Apprendriez-vous vos leçons ?*

▷ Le **subjonctif** présente l'action comme simplement envisagée, pouvant se réaliser ou non. C'est le mode du doute, de la volonté, de l'intention. *Il faut que vous appreniez vos leçons.*

● **Les temps**

▷ Le **présent** indique que l'action se fait au moment où l'on écrit. *J'apprends mes leçons.*

▷ Le **passé** indique que l'action a été accomplie avant le moment où l'on écrit. *J'apprenais mes leçons.* *J'ai appris mes leçons.*

▷ Le **futur** indique que l'action se fera après le moment où l'on écrit. *J'apprendrai mes leçons.*

Les **temps simples** sont formés du radical du verbe auquel on ajoute diverses terminaisons. Les **temps composés** sont formés à l'aide d'un auxiliaire (*être* ou *avoir*) et du participe passé du verbe.

POUR EN SAVOIR PLUS

● Les modes **indicatif**, **subjonctif**, **conditionnel** et **impératif** sont dits **personnels** : ils se conjuguent et donnent une indication de personne.

● Les modes qui ne donnent pas d'indication de personne sont dits **impersonnels** : ce sont l'**infinitif** et les **participes, passé** et **présent** *(voir fiche 35)*.
Ravie, Élodie se douche en chantant ; elle ne voit pas le temps passer.

1) Quel est le mode du verbe souligné ?

Tes parents regrettent que tu ne lises pas assez.

A. ☐ indicatif   B. ☐ conditionnel   C. ☑ subjonctif   D. ☐ impératif

2) Quel est le temps du verbe souligné ?

Nous avons sali nos chaussures ; maintenant, il faut les cirer.

A. ☐ temps simple au présent   B. ☑ temps composé au passé

C. ☐ temps composé au futur   D. ☐ temps simple au passé

3) Complète la phrase avec la forme verbale qui convient.

Les peureux ... au moindre bruit.

A. ☐ sursautez   B. ☐ sursautera   C. ☑ sursautent   D. ☐ sursautiez

4) Quel est le mode du verbe souligné ?

Si ce modèle avait un défaut, le vendeur accepterait-il un échange ?

A. ☐ indicatif   B. ☑ conditionnel   C. ☐ subjonctif   D. ☐ impératif

5) Quel est le mode du verbe souligné ?

Nous ne réussirons pas à terminer ce travail avant ce soir.

A. ☑ infinitif   B. ☐ conditionnel   C. ☐ subjonctif   D. ☐ impératif

6) Quel est le temps du verbe souligné ?

Un brin de persil améliorera le goût de ce plat de poisson.

A. ☐ temps simple au présent   B. ☐ temps simple au passé

C. ☐ temps composé au futur   D. ☑ temps simple au futur

7) Quels sont le mode et le temps des verbes soulignés ?

L'agriculteur diversifia sa production en plantant du colza.

A. ☐ conditionnel présent / participe passé

B. ☑ indicatif passé / participe présent

C. ☐ subjonctif présent / indicatif futur

D. ☐ impératif présent / subjonctif passé

8) Quels sont les modes des verbes soulignés ?

Si tu veux que nous comprenions ta réponse, formule-la clairement.

A. ☐ indicatif / conditionnel / subjonctif

B. ☑ indicatif / subjonctif / impératif

C. ☐ impersonnel / conditionnel / indicatif

D. ☐ subjonctif / indicatif / impératif

corrigé page 174

JE RETIENS

Le **présent de l'indicatif** exprime une **action qui se produit** (ou un état existant) dans le **présent**, au moment où l'on parle, où l'on écrit.

> Le mistral attise les flammes et les feux de forêt se propagent dangereusement ; les habitants du village craignent une catastrophe.

vent fort du sud de la France.

JE PROGRESSE

● Le présent de l'indicatif peut également exprimer :

▸ des **faits habituels** :
Beaucoup de personnes consultent régulièrement leur horoscope.

▸ des **vérités générales**, des **proverbes**, des **maximes** :
Le sel et le sucre se dissolvent dans l'eau.
Les chiens aboient, la caravane passe.
Les hommes naissent et demeurent libres et égaux en droits.

▸ des **actions passées placées dans le présent** pour les rendre plus vivantes (**présent de narration**) :
Le 14 juillet 1789, les Parisiens en colère prennent la Bastille, symbole de la monarchie absolue.

▸ des **actions** qui se produiront dans un **futur immédiat** :
Il faut prendre patience ; Léonard arrive, je n'ai aucun doute.

▸ des **actions passées** quand le fait est très **récent** :
Le client sort à l'instant du magasin.

▸ des **actions futures** pour annoncer ce qui va se réaliser dans **peu de temps** :
C'est promis, je vous écris demain.

REMARQUE Le passé récent et le futur proche peuvent également s'exprimer à l'aide des verbes *venir de* ou *aller* au présent de l'indicatif, suivis de l'infinitif.
Le film vient de se terminer à l'instant.
Le film va débuter dans un instant.

POUR EN SAVOIR PLUS

● Le présent de l'indicatif peut parfois exprimer une **action future** : c'est le cas avec une proposition subordonnée de condition, introduite par la conjonction *si*, dont le verbe de la proposition principale est au futur simple.
Si ce comédien refuse ce rôle, il brisera à coup sûr sa carrière.

1) Quelle est la valeur du présent de l'indicatif du verbe souligné ?

Le marché est terminé, les employés <u>nettoient</u> la place.

A. ☐ présent de narration

B. ☐ vérité générale

C. ☑ fait immédiat

D. ☐ fait habituel

2) Quelle est la valeur du présent de l'indicatif dans cette phrase ?

Avec ces nouvelles machines, l'usine va produire 200 moteurs par jour.

A. ☐ passé récent

B. ☐ fait habituel

C. ☐ vérité générale

D. ☑ futur proche

3) Quelle est la valeur du présent de l'indicatif du verbe souligné ?

Tu <u>viens</u> de terminer ton travail et tu peux jouer.

A. ☑ passé récent

B. ☐ fait habituel

C. ☐ vérité générale

D. ☐ futur proche

4) Quelle est la valeur du présent de l'indicatif des verbes de cette phrase ?

Lorsque la sonnerie retentit, nous sortons en récréation.

A. ☑ faits immédiats *ringtone*

B. ☐ futur proche

C. ☐ passé récent

D. ☐ présent de narration

5) Quelle est la valeur du présent de l'indicatif dans cette phrase ?

Le 21 juillet 1969, un homme marche enfin sur la Lune.

A. ☑ présent de narration

B. ☐ vérité générale

C. ☐ fait immédiat

D. ☐ fait habituel

6) Quelle est la valeur du présent de l'indicatif dans cette phrase ?

Les aigles s'emparent de leurs proies à l'aide de leurs serres.

A. ☐ maxime

B. ☐ proverbe

C. ☑ vérité générale

D. ☐ présent de narration

7) Quelle est la valeur du présent de l'indicatif des verbes de cette phrase ?

Romain va te parler ; tu dois l'écouter.

A. ☐ passé récent

B. ☐ faits habituels

C. ☐ vérité générale

D. ☑ futur proche

8) Quelle est la valeur du présent de l'indicatif des verbes de cette phrase ?

La liberté des uns s'arrête où commence celle des autres.

A. ☐ présent de narration

B. ☑ vérité générale

C. ☐ faits immédiats

D. ☐ faits habituels

4. PROPOSITIONS, MODES ET TEMPS

corrigé page 174

JE RETIENS

Le **futur simple** de l'indicatif indique que **l'action aura lieu** (ou que l'état existera) **dans l'avenir,** sans toujours préciser si cet avenir est proche ou lointain.

Bientôt, nous ne fréquenterons plus l'école, mais le collège.
Sans ceinture, Gaby n'osera pas sauter dans le grand bassin.

REMARQUE Il est possible que les actions se succèdent dans l'avenir et que les verbes soient tous au futur simple.

Vous sortirez vos cahiers, vous mettrez la date et vous copierez l'énoncé.

JE PROGRESSE

● Le futur simple peut également exprimer :

▸ une **volonté spontanée**, une **intention** :
Mélissa coupera le pain et Fabien mettra la table.

▸ une **forte probabilité** :
La météo est formelle : il fera beau demain.

▸ une **obligation** plus ou moins stricte :
Vous vous efforcerez de diminuer votre consommation de sucreries.

▸ la **marche à suivre,** un **conseil** ou un **ordre** :
Pour accéder au gymnase, vous prendrez la rue de l'Horloge.
Pour éviter les blessures, les joueurs porteront des protège-tibias.
À l'école, les téléphones portables devront être éteints.

▸ une **affirmation polie** :
Je te demanderai de bien vouloir m'accompagner ; j'ai peur de me perdre.

▸ une **protestation** indignée :
Si la sécheresse persiste, des milliers d'Africains mourront de faim !

POUR EN SAVOIR PLUS

● Le futur simple sert parfois à exprimer une **vérité générale** valable de tout temps et, par suite, au futur.
La vérité sera toujours plus forte que le mensonge.

● Lorsqu'on utilise le **présent de narration**, tous les faits postérieurs au moment où l'on situe l'action racontée sont au **futur simple**.
En signant l'édit de Nantes, Henri IV reconnaît que les protestants pourront pratiquer librement leur religion.

● Le **futur proche** peut s'exprimer à l'aide du verbe *aller* au présent de l'indicatif, suivi de l'infinitif *(voir fiche 58).*

[Conquérir]

1) Complète la phrase avec la forme correcte du futur simple.

Dans cinquante ans, les astronautes ... des planètes du Système solaire.

A. ☐ conquériront   B. ☐ conquérons   C. ☐ conquéront   D. ☑ conquerront

2) Quel est le verbe conjugué au futur simple dans cette phrase ?

Colin a shooté et le ballon est allé droit dans la fenêtre du bureau du directeur : résultat, le vitrier remplacera le carreau cassé.

A. ☐ a shooté   B. ☑ remplacera   C. ☐ est   D. ☐ allé

3) Quelle est la valeur du futur simple du verbe souligné ?

Sur les routes, les conducteurs ne <u>seront</u> jamais assez prudents.

A. ☑ une vérité générale
B. ☐ une affirmation polie
C. ☐ une protestation indignée
D. ☐ une volonté spontanée

4) Quelle est la valeur du futur simple du verbe souligné ?

Après des années de brouille, ces deux personnes <u>finiront</u> par se réconcilier.

A. ☐ une protestation indignée
B. ☑ une forte probabilité
C. ☐ une affirmation polie
D. ☐ une volonté spontanée

5) Quelle est la valeur du futur simple du verbe souligné ?

Pour aller à la gare de Lyon, vous <u>changerez</u> de métro à la station Châtelet.

A. ☐ une éventualité   B. ☐ une forte probabilité
C. ☑ la marche à suivre   D. ☐ une volonté spontanée

6) Quelle est la valeur du futur simple du verbe souligné ?

Des barrières métalliques <u>interdiront</u> aux spectateurs de s'approcher des pistes.

A. ☐ un état futur   B. ☑ une obligation
C. ☐ la marche à suivre   D. ☐ une volonté spontanée

7) Complète la phrase avec la forme correcte du futur simple.

Demain, les enfants ... dans le jardin à la recherche des œufs de Pâques.

A. ☐ courons   B. ☐ couront   C. ☑ courront   D. ☐ courrons

8) Complète la phrase avec les formes correctes du futur simple.

Tu ... à tous les SMS que t' ... tes amis.

A. ☐ réponds / envoient   B. ☐ répondais / envoyaient
C. ☐ répondras / envoyeront   D. ☑ répondras / enverront

corrigé page 174

4. PROPOSITIONS, MODES ET TEMPS

JE RETIENS

L'**imparfait de l'indicatif** indique une **action** ou un **état** situés dans le **passé**.

Au Moyen Âge, les chevaliers disputaient des tournois. ~~sailor   fisherman~~

Le grand-père de Ronan vivait à Douarnenez ; c'était un marin pêcheur.

Les apprentis charpentiers suivaient les conseils du chef de chantier ; ainsi, ils apprenaient rapidement leur métier.

À l'école maternelle, à la fin de la journée, nous attendions l'arrivée de nos parents sagement assis sur les bancs.

~~wisely~~

JE PROGRESSE

● L'imparfait de l'indicatif est employé pour une **action qui a duré**, qui n'est **pas délimitée dans le temps**, qui n'est peut-être **pas achevée**. ~~≠ Appartenir (pertencia)~~

Ce vieux manoir appartenait au comte de Rambuteau.

● L'imparfait de l'indicatif est le temps de la **description dans le passé**.

Les rayons du supermarché regorgeaient de fruits et de légumes, si bien que les clients n'avaient que l'embarras du choix. ~~so that~~

● L'imparfait sert aussi à exprimer :

▶ des **faits habituels dans le passé** : *Autrefois, les ménagères glissaient un sachet de lavande entre les piles de linge placées dans les armoires.*

▶ une **action qui ne s'est pas réalisée** : *Un pas de plus et je marchais dans la boue ; heureusement que tu m'as avertie à temps.*

▶ une **demande atténuée** : *Si ça ne te dérange pas, je voulais te demander de l'aide pour réparer les freins de mon vélo.*

POUR EN SAVOIR PLUS

● Dans une proposition subordonnée de condition introduite par la conjonction *si*, l'imparfait de l'indicatif indique une **action non réalisée dans le passé, mais possible dans le futur**. Dans ce cas, le verbe de la proposition principale est au **conditionnel présent** *(voir fiche 63)*.

Si tu boutonnais ton blouson, tu aurais moins froid.

● Dans un récit au passé, on fait souvent **alterner l'imparfait de l'indicatif et le passé simple** *(voir fiche 61)*.

François Gabart voguait à vive allure vers les Açores lorsque son mât se brisa ; à son grand regret, il abandonna la course.

1) Complète la phrase avec la forme correcte de l'imparfait de l'indicatif.

> *La mer ... sous le soleil ardent des tropiques.*

A. ❑ étincelle   B. ☒ étincelait   C. ❑ étincellait   D. ❑ étincellera

2) Complète la phrase avec les formes correctes de l'imparfait de l'indicatif.

> *Comme j' ... un peu de fièvre, je ne ... pas mon lit.*

A. ☒ aurais / quitterai   B. ❑ ai / quittait
C. ❑ ai eu / ai quitté   D. ☒ avais / quittais

3) Quelle est la valeur de l'imparfait de l'indicatif dans cette phrase ?

> *Chaque fois que le volcan grondait, les habitants quittaient leurs maisons.*

A. ❑ des demandes atténuées   B. ❑ des actions non réalisées
C. ☒ des actions habituelles   D. ❑ des actions à venir

4) Quelle est la valeur de l'imparfait de l'indicatif dans cette phrase ?

> *Le marmiton, la face rougie par les flammes, tournait la broche.*

A. ☒ une description dans le passé   B. ❑ une action immédiate
C. ❑ une action à venir   D. ❑ une action non réalisée

5) Quelle est la valeur de l'imparfait de l'indicatif dans cette phrase ?

> *Tu sollicitais timidement un autographe de ton footballeur préféré.*

A. ❑ une action immédiate   B. ❑ une description dans le passé
C. ❑ une action non réalisée   D. ❑ une demande atténuée

6) Complète la phrase avec la forme correcte de l'imparfait de l'indicatif.

> *Les interventions bruyantes de Xavier ... à ses camarades.*

A. ❑ déplairaient   B. ☒ déplaisaient   C. ❑ déplaisait   D. ❑ déplaisent

7) Complète la phrase avec les formes correctes de l'imparfait de l'indicatif.

> *Vous ... les journées que vous ... au centre aéré.*

A. ☒ appréciiez / passiez   B. ❑ appréciez / passez
C. ❑ appréciez / passiez   D. ❑ apprécierez / passeriez

8) Complète la phrase avec les formes correctes de l'imparfait de l'indicatif.

> *Dès qu'elles ... la fermière qui leur ... du maïs, les volailles ... .*

A. ❑ apercevait / apportait / approchait
B. ❑ apercevront / apportera / approcheront
C. ☒ apercevaient / apportait / approchaient
D. ❑ aperçoivent / apporte / approchent

corrigé page 175

JE RETIENS

Le **passé simple** de l'indicatif exprime des **faits passés**, complètement achevés, généralement limités dans le temps ou qui ont eu lieu à un moment précis du passé. Le passé simple est essentiellement le temps du **récit écrit**.

> *En fouillant dans les bureaux de l'usine aéronautique, les espions surprirent le secret de fabrication d'un avion révolutionnaire.*
>
> *Battue en finale de la coupe de France, l'équipe de Lens déçut ses supporters qui rangèrent leurs fanions et sortirent du stade la tête basse.*

JE PROGRESSE

● Quand plusieurs verbes au passé simple se suivent, les actions sont présentées comme **successives**.

> *Tu surmontas ta peur et tu sautas en parachute pour la première fois de ta vie.*
>
> *Lorsqu'il voulut gravir la barre des Écrins, M. Guyon prit un guide. La première partie de l'ascension se déroula normalement, mais, à 100 mètres du sommet, il faiblit subitement et il n'atteignit jamais la crête rocheuse.*

● Dans une même phrase, on peut employer le **passé simple** pour désigner les **actions brèves** et l'**imparfait** pour les **actions qui durent**.

> *J'intervins pour calmer mon petit frère qui <u>commençait</u> à s'énerver.*
>
> *Le metteur en scène <u>donnait</u> ses derniers conseils aux acteurs lorsque l'un des assistants renversa un projecteur. Tout le monde se tourna vers le fautif, qui tenta de s'excuser en affirmant qu'un fil électrique <u>traînait</u> sur le sol.*

POUR EN SAVOIR PLUS

Le passé simple est surtout employé aux **troisièmes personnes du singulier et du pluriel**, dont les formes sont plus faciles à retenir. Pour les autres personnes, on préfère en général utiliser un autre temps du passé, le plus souvent le passé composé *(voir fiche 62)*.

REMARQUE Dans une même phrase, on n'emploiera que des verbes au passé simple ou au passé composé.

> *Plusieurs d'entre nous refusèrent de jouer au basket, alors le professeur <u>organisa</u> une partie de volley-ball.*
>
> *Plusieurs d'entre nous ont refusé de jouer au basket, alors le professeur a organisé une partie de volley-ball.*

1) À quel temps de l'indicatif le verbe souligné est-il employé ?

Le mécanicien <u>dévissa</u> les boulons à l'aide d'une clé à molette.

A. ❑ présent   B. ❑ imparfait   C. ☑ passé simple   D. ❑ futur simple

2) Complète la phrase avec les formes correctes du passé simple.

À la fin du match, les supporters ... et ... les vainqueurs.

A. ❑ se levaient / applaudissaient   B. ☑ se levèrent / applaudirent

C. ❑ se lèvent / applaudissent   D. ❑ se lèveront / applaudiront

3) Complète la phrase avec la forme verbale qui convient.

Lancée d'une main experte, la boule ... vers le cochonnet.

A. ☑ roula   B. ☑ roulait   C. ❑ roulais   D. ❑ roulas

4) Justifie le choix du passé simple dans cette phrase.

Aymeric naquit exactement un an et un jour après sa sœur.

A. ❑ action brève dans le futur   B. ❑ action qui dure dans le passé

C. ☑ action brève dans le passé   D. ❑ action habituelle

5) Complète la phrase avec les formes verbales qui conviennent.

La chaleur ... si intense que Roxane ... un grand verre d'eau.

A. ❑ fut / bu   B. ❑ étais / bus   C. ❑ fût / bû   D. ☑ était / but

6) Complète la phrase avec les formes verbales qui conviennent.

Dès que le feu ... au vert, le motard ... dans un bruit d'enfer.

A. ❑ passait / démarrait   B. ☑ passa / démarra

C. ❑ passa / démarrait   D. ❑ passait / démarra

7) Complète la phrase avec les formes verbales qui conviennent.

Fatigué, le pêcheur ... renoncer lorsqu'il ... une superbe truite.

A. ☑ allait / aperçut   B. ❑ alla / apercevait

C. ❑ allait / apercevit   D. ☑ allât / aperçût

8) Complète la phrase avec les formes verbales qui conviennent.

Comme une forte odeur de moisi ... dans la pièce, Elsa ... les fenêtres.

A. ❑ flotta / ouvrais   B. ❑ flottais / ouvrait

C. ☑ flottas / ouvrit   D. ☑ flottait / ouvrit

corrigé page 175

Les valeurs du passé composé et du plus-que-parfait de l'indicatif

JE RETIENS

● Le **passé composé** exprime généralement un **événement situé dans le passé** sans précision de durée, complètement achevé au moment où l'on écrit ou parle ; il est formé de l'auxiliaire *avoir* ou *être* au présent de l'indicatif, suivi du participe passé.

> *Les hommes préhistoriques ont longtemps vécu sans connaître l'usage du feu.*
> *Pendant la guerre de Cent Ans, Bertrand Du Guesclin est entré au service du roi de France et il est parvenu à reprendre de nombreux châteaux aux troupes anglaises.*

● Le **plus-que-parfait** indique une **action accomplie**, dont la durée est déterminée et qui se situe **avant une autre action passée**, exprimée au passé composé, au passé simple ou, parfois, à l'imparfait ; il est formé de l'auxiliaire *avoir* ou *être* à l'imparfait de l'indicatif, suivi du participe passé.

> *Comme il avait neigé, les chasse-neige ont dégagé les routes.*
> *Comme il avait neigé, les chasse-neige dégagèrent les routes.*
> *Comme il avait neigé, les chasse-neige dégageaient les routes.*
> *Reda était déjà sorti lorsque ses amis sont entrés.*
> *Reda était déjà sorti lorsque ses amis entrèrent.*
> *Reda était déjà sorti lorsque ses amis entraient.*

JE PROGRESSE

● Le passé composé peut indiquer une **action accomplie dans le présent**.

> *Si j'en juge par le résultat catastrophique, j'ai commis une erreur en laissant ma sœur me couper les cheveux !*

● Le plus-que-parfait s'emploie également pour exprimer un **fait passé** par rapport au moment présent.

> *Pourquoi ma tablette ne s'allume-t-elle pas alors que j'avais mis la batterie en charge toute la nuit ?*

POUR EN SAVOIR PLUS

À l'oral, le passé composé est désormais couramment employé à la place du passé simple (*voir fiche 61*) ; il désigne alors un **événement**, même bref, **situé dans le passé**.

> *Lorsque tu as vu la vipère, tu as pris peur et tu t'es enfui à toutes jambes.*
> *Nous avons choisi des crayons bien taillés et nous avons colorié le dessin.*
> *Dès qu'il a plu, vous vous êtes réfugiés sous le préau de l'école.*

1) Dans quelle phrase le verbe est-il conjugué au passé composé ?

A. ❑ J'ai gagné la partie. B. ❑ Tu avais perdu.

C. ❑ Le score est sans appel. D. ❑ Mes amis me féliciteront.

2) Dans quelle phrase le verbe est-il conjugué au plus-que-parfait ?

A. ❑ Tu es devant la porte.

B. ❑ Walter est enfermé dans sa chambre.

C. ❑ J'avais oublié mes clés.

D. ❑ Nous avions du mal à ouvrir la porte.

3) Complète la phrase avec la forme verbale qui convient.

Celui qui ... un 29 février fête-t-il son anniversaire tous les ans ?

A. ❑ serait né B. ❑ étais né C. ❑ sera né D. ❑ est né

4) Complète la phrase avec la forme verbale qui convient.

On voyait nettement que la plage ... souillée par la marée noire.

A. ❑ aurait été B. ❑ avait été C. ❑ sera D. ❑ serait

5) Complète la phrase avec les formes verbales qui conviennent.

Vous m' ... ; je ... ce roman dès demain.

A. ❑ avez convaincu / lisais B. ❑ avez convaincu / lirai

C. ❑ aviez convaincu / lit D. ❑ aviez convaincu / lus

6) Quelles formes verbales ne peuvent pas compléter cette phrase ?

Le photographe ... des risques lorsqu'il ... seul dans la jungle.

A. ❑ prit / s'aventura B. ❑ avait pris / s'était aventuré

C. ❑ a pris / s'est aventuré D. ❑ prendras / s'étais aventuré

7) Complète la phrase avec les formes verbales qui conviennent.

Tu ... les indices et tu ... facilement l'énigme.

A. ❑ as observé / as résolu B. ❑ avait observé / avait résolu

C. ❑ avais observé / auras résolu D. ❑ observes / avais résolu

8) Complète la phrase avec les formes verbales qui conviennent.

J' ... fondre mes économies et je ne ... pas offrir de cadeau à ma sœur.

A. ❑ avais vu / pourrait B. ❑ aurais vu / pourra

C. ❑ ai vu / peux D. ❑ avait vu / puis

corrigé page 176

JE RETIENS

Le **présent du conditionnel** a valeur de mode lorsque l'action est :

▸ un **souhait** :
Justin aimerait prendre des cours de dessin.
▸ une **supposition** :
On dirait que le brouillard se lève enfin.
▸ une **éventualité** :
Au cas où je ne serais pas là à 10 heures, ne m'attendez pas.
▸ un **désir** :
Voudriez-vous passer vos vacances au Portugal ?

JE PROGRESSE

Le verbe d'une proposition subordonnée complétive est au présent du conditionnel lorsque le verbe de la proposition principale est à un temps passé.

Le routier <u>croyait</u> qu'il arriverait plus tôt à destination en prenant l'autoroute.
Le routier <u>crut</u> qu'il arriverait plus tôt à destination en prenant l'autoroute.
Le routier <u>a cru</u> qu'il arriverait plus tôt à destination en prenant l'autoroute.
Le routier <u>avait cru</u> qu'il arriverait plus tôt à destination en prenant l'autoroute.

Dans ce cas, le présent du conditionnel est considéré comme un temps de l'indicatif : c'est un futur incertain dans le passé.

REMARQUE Si le verbe de la principale est au présent, le verbe de la subordonnée n'est plus au présent du conditionnel, mais au futur simple.

Le routier <u>croit</u> qu'il arrivera plus tôt à destination en prenant l'autoroute.

POUR EN SAVOIR PLUS

Lorsque le verbe d'une **proposition subordonnée de condition** introduite par *si* est à l'imparfait de l'indicatif, le **verbe de la proposition principale** est au **présent du conditionnel**.

Si tu <u>écoutais</u> ce jeune musicien, tu tomberais sous le charme.

ATTENTION Le verbe de la proposition subordonnée de condition introduite par *si* n'est **jamais au conditionnel.**

On n'écrit pas : Si j'~~aurais~~ ton numéro de téléphone, je t'enverrais des SMS.
mais : Si j'<u>avais</u> ton numéro de téléphone, je t'enverrais des SMS.

1) **Complète la phrase avec la forme correcte du conditionnel présent.**

Pourquoi ne ... -vous pas cette barquette de fraises ?

A. ❏ choisissiez   B. ❏ choisissez   C. ❏ choisirez   D. ❏ choisiriez

2) **Dans quelle phrase le verbe est-il conjugué au conditionnel présent ?**

A. ❏ Tu devrais t'appliquer.   B. ❏ Tu avais dû t'appliquer.

C. ❏ Tu t'appliqueras.   D. ❏ Tu dus t'appliquer.

3) **Complète la phrase avec les formes verbales qui conviennent.**

Si Nathalie ... un moment de libre, elle ... son lecteur MP3.

A. ❏ avais / brancherais   B. ❏ avait / brancherait

C. ❏ a / branchait   D. ❏ aurait / brancherait

4) **À quel temps faut-il écrire le verbe entre parenthèses ?**

Si j'étais toi, je (réfléchir) à deux fois avant d'utiliser cet outil.

A. ❏ indic. présent : *réfléchis*   B. ❏ indic. imparfait : *réfléchissais*

C. ❏ indic. futur : *réfléchirai*   D. ❏ cond. présent : *réfléchirais*

5) **Quels sont le temps et le mode des verbes soulignés ?**

Le moindre mouvement vous <u>trahirait</u> ; surtout, ne <u>bougez</u> pas.

A. ❏ présent du conditionnel / présent de l'impératif

B. ❏ imparfait de l'indicatif / présent de l'impératif

C. ❏ présent du conditionnel / présent de l'indicatif

D. ❏ imparfait de l'indicatif / présent de l'indicatif

6) **Complète la phrase avec les formes verbales qui conviennent.**

Si un voleur ... dans le centre commercial, l'alarme ... aussitôt.

A. ❏ pénétrerait / retentirait   B. ❏ pénètre / retentira

C. ❏ pénétrait / retentira   D. ❏ pénétra / retentissait

7) **Complète la phrase avec les formes verbales qui conviennent.**

L'ingénieur ... que les piles du pont ... à des charges importantes.

A. ❏ pensa / résistaient   B. ❏ pense / résisterait

C. ❏ pensait / résisteraient   D. ❏ pensera / résistent

8) **Complète la phrase avec les formes verbales qui conviennent.**

Si l'on ... l'arrivée d'un cyclone, les habitants de Saint-Denis ... chez eux.

A. ❏ annoncerait / restent   B. ❏ annonçaient / resterait

C. ❏ annonçait / resteraient   D. ❏ annonce / reste

4. PROPOSITIONS, MODES ET TEMPS

corrigé page 176

JE RETIENS

Le **présent du subjonctif** exprime généralement :

▶ une **éventualité** :
Il arrive que l'émission s'interrompe brusquement.

▶ un **doute** :
On craint que ce breuvage ne contienne du poison.

▶ un **regret** :
Le médecin regrette que M. Hervé ne suive pas son régime.

▶ un **souhait** :
Ses parents veulent que Valérie comprenne qu'il faut travailler en classe.

▶ un **conseil** :
Il convient que la selle de ton vélo soit remontée.

▶ une **supposition** :
Il est possible que ce chien morde les intrus.

JE PROGRESSE

● Le présent du subjonctif est le plus souvent inclus dans une proposition subordonnée introduite par la conjonction *que*, mais il peut être employé dans une proposition **relative**.

Il n'y a qu'un spécialiste <u>qui</u> puisse dater l'âge d'un fossile.

● Les conjonctions *que* et *quoi* peuvent se trouver au début d'une phrase dans des **exclamations** indiquant l'ordre, l'étonnement ou l'indignation. Dans ce cas, le verbe est au subjonctif.

<u>Que</u> personne ne sorte !
<u>Quoi</u> que nous disions, vous ne nous écoutez pas !

POUR EN SAVOIR PLUS

Les formes des personnes du singulier du **présent de l'indicatif** et celles du **présent du subjonctif** sont **homophones** pour certains verbes du **3e groupe**. Pour ne pas les confondre, on peut employer un autre verbe du 3e groupe pour lequel on entend la différence entre ces deux formes.

Nous constatons que Jérémie ne sourit pas.
Nous constatons que Jérémie ne répond pas.

certitude ➜ présent de l'indicatif

Nous regrettons que Jérémie ne sourie pas.
Nous regrettons que Jérémie ne réponde pas.

regret ➜ présent du subjonctif

1) Complète la phrase avec la forme verbale qui convient.

Il est peu probable que José ... avec nous au parc d'attractions.

A. ☐ vient   B. ☐ vienne   C. ☐ viennent   D. ☐ venait

2) Complète la phrase avec les formes verbales qui conviennent.

Le jardinier ... que, faute d'arrosage, son néflier du Japon ne ... .

A. ☐ crains / meurs   B. ☐ craint / meure

C. ☐ craignait / meurt   D. ☐ craindrait / meurt

3) Quels sont le temps et le mode des verbes soulignés ?

Il ne <u>faudrait</u> pas que le vent <u>torde</u> les pylônes électriques.

A. ☐ présent de l'indicatif / présent du conditionnel

B. ☐ présent du conditionnel / présent de l'impératif

C. ☐ présent du conditionnel / présent du subjonctif

D. ☐ présent du subjonctif / présent du conditionnel

4) Complète la phrase avec les formes verbales qui conviennent.

Je m' ... que Marie ... d'une seule part de tarte.

A. ☐ étonnerait / se satisfait   B. ☐ étonnes / se satisfais

C. ☐ étonnais / se satisfaisait   D. ☐ étonne / se satisfasse

5) Quel est l'infinitif du verbe souligné, conjugué au présent du subjonctif ?

Les voisins regrettent que M. Boulin <u>peigne</u> son portail en rouge.

A. ☐ pendre   B. ☐ peindre   C. ☐ peigner   D. ☐ peiner

6) À quel temps faut-il écrire le verbe entre parenthèses ?

Il faut que tu (enduire) l'affiche de colle avant de la poser.

A. ☐ enduises   B. ☐ enduis   C. ☐ enduise   D. ☐ enduisais

7) Complète la phrase avec les formes verbales qui conviennent.

Pourvu que Samy ... la permission de sortir ; il ... absolument m'accompagner.

A. ☐ obtient / devra   B. ☐ obtiennes / dois

C. ☐ obtienne / doit   D. ☐ obtenait / devrait

8) Complète la phrase avec les formes verbales qui conviennent.

Il ... bon que le beurre ... avant que tu ... les escalopes à dorer.

A. ☐ serait / fonde / mettes   B. ☐ sera / fond / met

C. ☐ est / fondait / mettais   D. ☐ était / fondit / mis

4. PROPOSITIONS, MODES ET TEMPS

corrigé page 177

JE RETIENS

● Le **présent de l'impératif** permet de **s'adresser directement à une ou plusieurs personnes** sans que le sujet soit exprimé. Il n'y a donc que **trois personnes** : la deuxième personne du singulier et les première et deuxième personnes du pluriel.

● Le présent de l'impératif permet d'indiquer :

▸ un **ordre** : *Cessez de bavarder.*

▸ une **invitation** : *Sers-toi copieusement.*

▸ une **interdiction** : *N'allumez pas la lumière quand il y a une fuite de gaz !*

▸ un **souhait** : *N'oublie pas de nourrir le chat en mon absence.*

▸ un **conseil** : *Fais attention en allumant le barbecue.*

▸ une **demande** : *Prête-moi ton bracelet.*

▸ un **vœu** : *Soyons attentifs aux problèmes des handicapés.*

▸ une **prière** : *Après 22 heures, baissez le son du téléviseur.*

JE PROGRESSE

● En principe, il n'y a pas de **point d'exclamation** à la fin d'une phrase dont le verbe est à l'impératif, sauf lorsqu'on veut insister sur l'ordre ou l'interdiction (*voir fiche 29*).

> *Surtout, ne vous aventurez pas dans les eaux de ce torrent !*

● Lorsqu'un verbe, conjugué au présent de l'impératif, est suivi d'un **pronom personnel** réfléchi ou complément, il faut placer un **trait d'union** entre les deux mots (*voir fiche 31*).

> *Donne-moi le score du match.*
> *Je n'ai pas vu la fin du match et je ne connais pas le score ; donne-le-moi.*

POUR EN SAVOIR PLUS

Pour formuler poliment une demande ou une invitation, on peut conjuguer le verbe *vouloir* à la deuxième personne du pluriel de l'impératif, et le faire suivre du verbe sur lequel porte la demande ou l'invitation.

> *Veuillez me rendre mon stylo.*   *Veuillez vous asseoir auprès de moi.*

Dans ce cas, il n'y a pas de trait d'union.

RAPPEL Les verbes du 1er groupe – ainsi que *ouvrir, souffrir, offrir, cueillir* – ne prennent pas de *-s* à la deuxième personne du singulier.

> *Ferme le livre et range-le.*   *Offre un cadeau à tes parents.*

1) Complète la phrase avec la forme verbale qui convient.

Ne ... jamais les animaux.

A. ❏ brutalises   B. ❏ brutalisont   C. ❏ brutaliserez   D. ❏ brutalisez

2) Complète la phrase avec les formes verbales qui conviennent.

N' ... pas les portes, toutes les feuilles de papier ... de s'envoler.

A. ❏ ouvre / risquent   B. ❏ ouvres / risquaient
C. ❏ ouvrez / risquerons   D. ❏ ouvrons / risquait

3) Quel est le seul verbe correctement conjugué au présent de l'impératif ?

A. ❏ Que dis-tu de ce feuilleton ?   B. ❏ Regarde ce feuilleton.
C. ❏ Regardes ce feuilleton.   D. ❏ Regardiez ce feuilleton.

4) Dans quelle phrase y a-t-il une erreur ?

A. ❏ Sers moi un verre d'eau.   B. ❏ Ne rougis pas pour un rien.
C. ❏ Chasse ton trac en respirant à fond. D. ❏ Ne te penche pas à la fenêtre.

5) Complète la phrase avec les formes verbales qui conviennent.

... des économies si tu ... acheter ce jeu électronique.

A. ❏ Fait / veut   B. ❏ Faisez / voulait
C. ❏ Fais / voudrais   D. ❏ Fais / veux

6) Quels sont le temps et le mode des verbes soulignés ?

Si tu veux que je <u>parte</u> tôt, <u>aide</u>-moi à terminer mes exercices.

A. ❏ présent de l'indicatif / présent du subjonctif
B. ❏ présent du subjonctif / présent de l'impératif
C. ❏ présent du conditionnel / présent de l'indicatif
D. ❏ présent de l'impératif / présent du conditionnel

7) Complète la phrase avec les formes verbales qui conviennent.

Comme ce chat ... gourmand, ...-le de ton bol de lait.

A. ❏ était / éloignes   B. ❏ serait / éloigniez
C. ❏ est / éloigne   D. ❏ es / éloignait

8) Complète la phrase avec les formes verbales qui conviennent.

Tu ... d'avoir choisi ce survêtement, car il ... trop étroit ; ...-le au plus vite.

A. ❏ regrette / est / échanges   B. ❏ regrettes / est / échange
C. ❏ regrettait / était / échangerez   D. ❏ regrettera / es / échangons

corrigé page 177

66 La phrase active et la phrase passive

JE RETIENS

● Une phrase est à la **voix active** lorsque le sujet fait l'action exprimée par le verbe.

Le vétérinaire vaccine les veaux.
   sujet   verbe   COD

● Une phrase est à la **voix passive** lorsque le sujet subit l'action exprimée par le verbe. Dans une phrase passive, c'est le **complément d'agent** qui fait l'action : c'est lui qui **agit**.

Les veaux sont vaccinés par le vétérinaire.
   sujet   verbe   c. d'agent

JE PROGRESSE

● Le **verbe** d'une phrase passive est construit avec l'auxiliaire *être* et le **participe passé** du verbe. C'est l'auxiliaire qui donne le temps de la forme verbale passive.

Les veaux seront vaccinés par le vétérinaire.
→ *seront* = futur simple de l'indicatif
Les veaux furent vaccinés par le vétérinaire.
→ *furent* = passé simple de l'indicatif

● Comme le **participe passé** est précédé du verbe *être*, il s'accorde avec le sujet du verbe.

Les génisses seront vaccinées par le vétérinaire.

● Seuls les **verbes transitifs directs**, c'est-à-dire ceux qui ont un complément d'objet direct *(voir fiche 33)*, peuvent être mis à la forme passive.

● Lorsque l'on transforme une phrase active en phrase passive, le COD devient le sujet du verbe de la phrase passive, et le sujet devient le complément d'agent introduit par les prépositions *par* ou *de*.

▶ phrase active : *Tous les informaticiens redoutent l'introduction d'un virus.*
▶ phrase passive : *L'introduction d'un virus est redoutée par tous les informaticiens.*

POUR EN SAVOIR PLUS

Il ne faut pas confondre un verbe à la voix passive avec le verbe *être* suivi d'un participe passé marquant l'état ; le participe passé est alors **attribut**.

La télévision a été allumée par Samuel. → voix passive
La télévision est allumée. → verbe *être* + attribut

1) À quelle voix le verbe de cette phrase est-il conjugué ?

Les déménageurs ont descendu les meubles par l'escalier.

A. ☑ voix active   B. ☐ voix passive

2) Quelle phrase active correspond à cette phrase passive ?

Le sommet de la montagne était couronné de nuages.

A. ☐ Des nuages couronnent le sommet de la montagne.

B. ☑ Des nuages couronnaient le sommet de la montagne.

C. ☐ Le sommet de la montagne couronnait les nuages.

3) Quel est le complément d'agent dans cette phrase ?

En traversant le bois, Carlos a été blessé à l'œil par une branche de noisetier.

A. ☐ En traversant   B. ☐ il n'y a pas de complément d'agent

C. ☐ à l'œil   D. ☑ par une branche de noisetier

4) À quelle voix les verbes soulignés sont-ils conjugués ?

Il se <u>peut</u> que ces mannequins <u>soient habillés</u> par un grand couturier.

A. ☑ voix active / voix passive   B. ☐ voix active / voix active

C. ☐ voix passive / voix active   D. ☐ voix passive / voix passive

5) Quel est le complément d'agent dans cette phrase ?

Max est arrivé par le train de 9 heures ; il était en retard à cause d'un incident.

A. ☐ par le train de 9 heures   B. ☐ en retard

C. ☑ il n'y a pas de complément d'agent D. ☐ à cause d'un incident

6) Complète la phrase avec le complément d'agent qui convient.

Une épave a été détectée ... .

A. ☑ par le système radar   wreck   B. ☐ près d'un îlot

C. ☐ par hasard   D. ☐ de bon matin

7) Complète la phrase avec la forme verbale qui convient.

L'irrigation des champs de maïs ... par de puissantes pompes.

A. ☐ étaient assurés   B. ☐ seront assurés

C. ☑ est assurée   D. ☐ avait été assuré

8) Quelle est la seule phrase à la voix passive ?

A. ☐ La récompense de Paula est méritée.

B. ☐ Les fleurs sont fanées, faute d'arrosage.

C. ☐ La vipère est lovée sous un rocher.

D. ☑ Sidonie est aimée de tous ses camarades.

corrigé page 178

Corrigés

Fiche 53. Les propositions indépendantes, principales et subordonnées

1) Réponse B – Le beau temps nous permet enfin de sortir bras nus.
Une proposition comprend obligatoirement un verbe conjugué.

2) Réponse B – 2
Il y a deux verbes conjugués.

3) Réponse B – principale
Les deux autres propositions peuvent être supprimées.

4) Réponse B – 2
Tu fais ton possible est la proposition principale.

5) Réponse C – subordonnée
Il s'agit d'une proposition subordonnée circonstancielle de temps.

6) Réponse D – Puisque la grue ne fonctionne pas, les maçons ne peuvent travailler.
Il manque la proposition principale.

7) Réponse A – indépendante
Elle ne dépend d'aucune proposition et aucune proposition ne dépend d'elle.

8) Réponse D – Ce film que j'avais déjà vu m'a à nouveau déçu.
Le sens permet d'écarter la réponse A.

Fiche 54. Les propositions juxtaposées et coordonnées

1) Réponse D – prop. indépendante juxtaposée
Le point-virgule marque la juxtaposition.

2) Réponse B – M. Broyer passe devant le rayon des surgelés, puis il se dirige vers la caisse.
Les autres mots introduisant les propositions sont des conjonctions de subordination.

3) Réponse A – prop. indépendante coordonnée
La conjonction de coordination *donc* marque la coordination.

4) Réponse B – propositions juxtaposées

5) Réponse B – Le meeting aérien se déroulera normalement, car il fera beau.
Les autres mots introduisant les propositions sont des pronoms relatifs ou une locution conjonctive.

6) Réponse C – propositions coordonnées
Les deux propositions sont coordonnées par l'adverbe *aussi*, qui fait office de conjonction de coordination.

7) Réponse A – On ne joue pas avec les allumettes ; on peut se brûler.
Le point-virgule marque la juxtaposition.

8) Réponse A – Tu as misé sur les bons numéros et tu as gagné le gros lot.
La présence de la conjonction de coordination *et* impose la bonne réponse. *Puisque* n'est pas une conjonction de coordination, mais une conjonction de subordination.

Corrigés

Fiche 55. Les propositions subordonnées conjonctives : complétives et circonstancielles

1) Réponse B – proposition complétive
La proposition ne peut pas être supprimée ni déplacée.

2) Réponse A – Le vétérinaire assure que ce veau irait mieux s'il tétait sa mère.
Les réponses B et D ne sont pas des propositions. La réponse C est à écarter car il n'y a pas de concordance des temps.

3) Réponse A – proposition indépendante
Il s'agit d'une proposition juxtaposée.

4) Réponse D – Ces ingénieurs croient que leurs robots sont efficaces.
C'est la seule réponse qui débute par la conjonction *que*.

5) Réponse C – proposition circonstancielle
C'est une proposition circonstancielle de temps.

6) Réponse C – Quand il sortit du château, le carrosse royal parcourut les rues de la capitale.
Les réponses A et D ne sont pas des propositions. Le sens permet d'écarter la réponse B.

7) Réponse D – Quelques élèves souhaiteraient que la récréation soit plus longue.
La réponse C n'est pas une proposition. Le sens permet d'écarter les réponses A et B.

8) Réponse B – proposition complétive
La proposition ne peut pas être supprimée ni déplacée.

Fiche 56. Les propositions subordonnées relatives

1) Réponse D – les
Le pronom personnel *les* remplace *les chevaux*.

2) Réponse A – proposition relative
C'est une relative qui complète le nom *articles*.

3) Réponse B – Pouvez-vous m'indiquer un magasin où je trouverai un sac de sport ?
La réponse C ne peut convenir puisque le pronom relatif n'est pas accordé au masculin singulier.

4) Réponse D – proposition complétive
Il n'y a pas d'antécédent et la proposition complétive est le COD du verbe *attendent*.

5) Réponse B – complément du nom *recherches*
Dans la subordonnée relative, *auxquelles* occupe la fonction de COI du verbe *a consacré*.

6) Réponse A – dont

7) Réponse C – sujet du verbe *ménage*

8) Réponse C – Le professeur nous a posé un problème qu'aucun élève n'a résolu.
Le sens impose la réponse.

Fiche 57. Les modes et les temps

1) Réponse C – subjonctif
Le subjonctif exprime ici un souhait qui ne s'est pas réalisé.

2) Réponse B – temps composé au passé
Il s'agit du passé composé de l'indicatif.

3) Réponse C – Les peureux sursautent au moindre bruit.
Le verbe doit être conjugué à la 3e personne du pluriel. Il est au présent de l'indicatif.

4) Réponse B – conditionnel
Le verbe exprime une éventualité qui dépend d'une condition : *si ce modèle avait un défaut.*

5) Réponse A – infinitif

6) Réponse D – temps simple au futur

7) Réponse B – indicatif passé / participe présent
Le premier verbe est au passé simple de l'indicatif.

8) Réponse B – indicatif / subjonctif / impératif

Fiche 58. Les valeurs du présent de l'indicatif

1) Réponse C – fait immédiat
On peut éventuellement admettre la réponse D (fait habituel), si l'on considère que le marché a lieu régulièrement.

2) Réponse D – futur proche

3) Réponse A – passé récent

4) Réponse A – faits immédiats
On ne pourrait admettre le présent de narration que si la phrase était insérée dans un récit.

5) Réponse A – présent de narration

6) Réponse C – vérité générale
On ne pourrait admettre le présent de narration que si la phrase était insérée dans un récit.

7) Réponse D – futur proche
Les actions ne se sont pas encore réalisées.

8) Réponse B – vérité générale

Fiche 59. Les valeurs du futur simple de l'indicatif

1) Réponse D – Dans cinquante ans, les astronautes conquerront des planètes du Système solaire.
Pour choisir la forme verbale correcte, on peut consulter un livre de conjugaison.

2) Réponse B – remplacera
Les deux autres verbes sont conjugués au passé composé : *a shooté* et *est allé.*

3) Réponse A – une vérité générale
On admettra également la réponse C : *une protestation indignée.*

4) Réponse B – une forte probabilité

5) Réponse C – la marche à suivre

6) Réponse B – une obligation
On peut admettre la réponse A : *un état futur*.

7) Réponse C – Demain, les enfants courront dans le jardin à la recherche des œufs de Pâques.
Pour choisir la forme verbale correcte, on peut consulter un livre de conjugaison.

8) Réponse D – Tu répondras à tous les SMS que t'enverront tes amis.
Pour choisir les formes verbales correctes, on peut consulter un livre de conjugaison.

Fiche 60. Les valeurs de l'imparfait de l'indicatif

1) Réponse B – La mer étincelait sous le soleil ardent des tropiques.
Pour choisir la forme verbale correcte, on peut consulter un livre de conjugaison.

2) Réponse D – Comme j'avais un peu de fièvre, je ne quittais pas mon lit.
Pour choisir les formes verbales correctes, on peut consulter un livre de conjugaison.

3) Réponse C – des actions habituelles

4) Réponse A – une description dans le passé

5) Réponse D – une demande atténuée
La réponse est induite par l'adverbe *timidement*.

6) Réponse B – Les interventions bruyantes de Xavier déplaisaient à ses camarades.
Seul verbe conjugué à la 3e personne du pluriel de l'imparfait de l'indicatif.

7) Réponse A – Vous appréciiez les journées que vous passiez au centre aéré.
Aux 1re et 2e personnes du pluriel de l'imparfait de l'indicatif, les verbes terminés par *-ier* à l'infinitif ont deux *i* consécutifs : un pour le radical et un pour la terminaison.

8) Réponse C – Dès qu'elles apercevaient la fermière qui leur apportait du maïs, les volailles approchaient.
Le premier et le troisième verbe sont à conjuguer à la 3e personne du pluriel ; le deuxième, à la 3e personne du singulier.

Fiche 61. Les valeurs du passé simple de l'indicatif

1) Réponse C – passé simple

2) Réponse B – À la fin du match, les supporters se levèrent et applaudirent les vainqueurs.

3) Réponse A – Lancée d'une main experte, la boule roula vers le cochonnet.
Le verbe doit s'accorder à la 3e personne du singulier ; la proposition de réponse D est à écarter puisque le verbe se termine par un s.

4) Réponse C – action brève dans le passé

5) Réponse D – La chaleur était si intense que Roxane but un grand verre d'eau.
La première action dure et la seconde est brève.

Corrigés

6) Réponse B – **Dès que le feu passa au vert, le motard démarra dans un bruit d'enfer.**
Les deux actions sont brèves.

7) Réponse A – **Fatigué, le pêcheur allait renoncer lorsqu'il aperçut une superbe truite.**
La première action dure et la seconde est brève.

8) Réponse D – **Comme une forte odeur de moisi flottait dans la pièce, Elsa ouvrit les fenêtres.**
La première action dure et la seconde est brève.

Fiche 62. Les valeurs du passé composé et du plus-que-parfait de l'indicatif

1) Réponse A – **J'ai gagné la partie.**

2) Réponse C – **J'avais oublié mes clés.**

3) Réponse D – **Celui qui est né un 29 février fête-t-il son anniversaire tous les ans ?**

4) Réponse B – **On voyait nettement que la plage avait été souillée par la marée noire.**
C'est le verbe *être* conjugué au plus-que-parfait puisque l'action est antérieure au fait de voir la plage ainsi souillée.

5) Réponse B – **Vous m'avez convaincu ; je lirai ce roman dès demain.**
La présence de l'adverbe *demain* justifie que le second verbe soit au futur simple.

6) Réponse D – **prendras / s'étais aventuré**
Ce sont les seules formes verbales qui ne soient pas conjuguées à la 3e personne du singulier.

7) Réponse A – **Tu as observé les indices et tu as résolu facilement l'énigme.**
Les deux verbes doivent être conjugués au même temps, à la 2e personne du singulier.

8) Réponse C – **J'ai vu fondre mes économies et je ne peux pas offrir de cadeau à ma sœur.**
Les deux verbes doivent être conjugués à la 1re personne du singulier.

Fiche 63. Les valeurs du présent du conditionnel

1) Réponse D – **Pourquoi ne choisiriez-vous pas cette barquette de fraises ?**

2) Réponse A – **Tu devrais t'appliquer.**
On peut chercher le temps des autres verbes : B ➜ plus-que-parfait ; C ➜ futur simple ; D ➜ passé simple.

3) Réponse B – **Si Nathalie avait un moment de libre, elle brancherait son lecteur MP3.**
La proposition D est évidemment à rejeter puisque le verbe de la subordonnée de condition est au conditionnel.

4) Réponse D – **Si j'étais toi, je réfléchirais à deux fois avant d'utiliser cet outil.**

5) Réponse A – **présent du conditionnel / présent de l'impératif**
Le premier verbe exprime une éventualité, il doit être au présent du conditionnel ; le second n'a pas de sujet, il est donc à l'impératif.

Corrigés

6) Réponse B – Si un voleur pénètre dans le centre commercial, l'alarme retentira aussitôt.
La première proposition est une subordonnée de condition, donc le verbe ne peut pas être au conditionnel. En raison de la concordance des temps, s'il est à l'imparfait, le verbe de la principale doit alors être au conditionnel, ce qui n'est pas le cas de la proposition de réponse C.

7) Réponse C – L'ingénieur pensait que les piles du pont résisteraient à des charges importantes.
Le second verbe exprimant une supposition, il doit être au conditionnel.

8) Réponse C – Si l'on annonçait l'arrivée d'un cyclone, les habitants de Saint-Denis resteraient chez eux.
Le verbe de la subordonnée de condition doit être conjugué à la 3e personne du singulier, et celui de la principale, à la 3e personne du pluriel ; seule la proposition de réponse C est conforme.

Fiche 64. Les valeurs du présent du subjonctif

1) Réponse B – Il est peu probable que José vienne avec nous au parc d'attractions.

2) Réponse B – Le jardinier craint que, faute d'arrosage, son néflier du Japon ne meure.
Pour faire la différence entre les formes *meurt* et *meure*, on peut remplacer ce verbe par un autre verbe du 3e groupe : *que son néflier du Japon ne disparaisse*.

3) Réponse C – présent du conditionnel / présent du subjonctif
On peut hésiter entre les propositions B et C, mais il y a un sujet exprimé pour le second verbe, qui n'est donc pas à l'impératif.

4) Réponse D – Je m'étonne que Marie se satisfasse d'une seule part de tarte.

5) Réponse B – peindre
Le sens induit la réponse. À noter que les verbes *peigner* et *peindre* ont des formes identiques pour les personnes du singulier du présent du subjonctif.

6) Réponse A – Il faut que tu enduises l'affiche de colle avant de la poser.
Le verbe doit être accordé à la 2e personne du singulier, ce qui exclut la proposition C.

7) Réponse C – Pourvu que Samy obtienne la permission de sortir ; il doit absolument m'accompagner.

8) Réponse A – Il serait bon que le beurre fonde avant que tu mettes les escalopes à dorer.
En oralisant la phrase avec les diverses possibilités, on trouve facilement la réponse.

Fiche 65. Les valeurs du présent de l'impératif

1) Réponse D – Ne brutalisez jamais les animaux.
Comme il n'y a pas de sujet exprimé, on peut hésiter. La présence d'un s pour la proposition A et d'un t pour la proposition B, permet d'exclure ces deux réponses.

2) Réponse A – N'ouvre pas les portes, toutes les feuilles de papier risquent de s'envoler.
Le second verbe doit être conjugué à la 3e personne du pluriel. Comme les verbes du 1er groupe, le verbe *ouvrir* ne prend pas de s à la 2e personne du singulier.

3) **Réponse B – Regarde ce feuilleton.**
Le verbe *regarder* est du 1er groupe, donc pas de s à la 2e personne du singulier de l'impératif.

4) **Réponse A – Sers moi un verre d'eau.**
Il manque un trait d'union entre le verbe et le pronom personnel.

5) **Réponse D – Fais des économies si tu veux acheter ce jeu électronique.**
Le premier verbe, *faire*, n'a pas de sujet exprimé ; seules les propositions de réponse C et D conviennent. Mais, dans une subordonnée de condition, le verbe n'est jamais au conditionnel ; il n'y a plus qu'une seule réponse correcte possible.

6) **Réponse B – présent du subjonctif / présent de l'impératif**
Le verbe *aide* n'a pas de sujet exprimé, il est donc à l'impératif.

7) **Réponse C – Comme ce chat est gourmand, éloigne-le de ton bol de lait.**
Le second verbe, du 1er groupe, n'a pas de sujet exprimé ; il est à l'impératif. De ce fait, il n'y a qu'une réponse possible.

8) **Réponse B – Tu regrettes d'avoir choisi ce survêtement, car il est trop étroit ; échange-le au plus vite.**
Le premier verbe doit être conjugué à la 2e personne du singulier avec un sujet exprimé ; seule la réponse B convient, la terminaison du verbe étant s.

Fiche 66. La phrase active et la phrase passive

1) **Réponse A – voix active**

2) **Réponse B – Des nuages couronnaient le sommet de la montagne.**

3) **Réponse D – par une branche de noisetier**
Si on met la phrase à la voix active, le complément d'agent devient sujet du verbe : « En traversant le bois, une branche de noisetier a blessé Carlos à l'œil. »

4) **Réponse A – voix active / voix passive**

5) **Réponse C – il n'y a pas de complément d'agent**
Par le train de 9 heures est complément de manière du verbe *est arrivé*. *À cause d'un incident* est complément de cause du verbe *était en retard*.

6) **Réponse A – Une épave a été détectée par le système radar.**
À la voix active, le complément d'agent devient sujet du verbe : « Le système radar a détecté une épave. »

7) **Réponse C – L'irrigation des champs de maïs est assurée par de puissantes pompes.**
À la voix active, le complément d'agent devient sujet du verbe : « De puissantes pompes assurent l'irrigation des champs de maïs. »

8) **Réponse D – Sidonie est aimée de tous ses camarades.**
À la voix active, la phrase devient : « Tous ses camarades aiment Sidonie. »

Les classes (ou natures) grammaticales

Les mots variables

classe	sous-classe	exemple	définition
NOMS Ils ont un genre, masculin ou féminin.	**noms communs** Les noms communs peuvent être composés.	*un chien, un lit, la partie, la faim, le courage…* *un sapeur-pompier, une basse-cour, des longues-vues…*	Ils désignent, **en général**, des êtres, des objets, des actions, des états, des qualités, des relations… Ils varient en nombre et peuvent être précédés d'un déterminant.
	noms propres Ils prennent toujours une majuscule.	*Florian, Victor Hugo, la Belgique, Paris, le Louvre, Noël…*	Ils désignent, **en particulier**, des êtres, des lieux, des monuments, des fêtes…

classe	sous-classe	exemple	définition
PRONOMS Ils remplacent un nom ou un groupe nominal.	**pronoms personnels**	**sujets** : *je, tu, il, elle, on, nous, vous, ils, elles.* **compléments** : *me, te, lui, se, leur, moi, soi, eux, en, y…*	Les pronoms sujets sont utilisés pour les conjugaisons. Les pronoms compléments désignent souvent des personnes ou des objets (3e personne).
	pronoms possessifs	*le mien, la mienne, les miens, le sien, le nôtre, les leurs…*	Ils remplacent un nom précédé d'un déterminant possessif.
	pronoms démonstratifs	*ce, c', celui, celle, ceux, celles, cela, celui-ci…*	Ils remplacent un nom précédé d'un déterminant démonstratif.
	pronoms relatifs	*qui, que, quoi, dont, où, lequel, auquel, duquel…*	Ils remplacent un nom : leur antécédent.
	pronoms interrogatifs	*qui, que, quoi, lequel…*	
	pronoms indéfinis	*chacun, personne, certains, plusieurs, tout, rien…*	Ils désignent des êtres ou des choses sans précision.

Aide-mémoire

Les mots variables (suite)

classe	sous-classe	exemple	définition
DÉTERMINANTS Ils précèdent le nom et peuvent en indiquer le genre et/ou le nombre. Ils s'accordent avec le nom (sauf pour les adjectifs numéraux cardinaux).	articles	**définis** : *le, la, les, l'* **indéfinis** : *un, une, des* **partitifs** : *du, de l', de la*	
	adjectifs possessifs	*mon, ton, son, ma, ta, sa, ses, notre, nos, leur...*	Ils indiquent l'appartenance.
	adjectifs démonstratifs	*ce, cet, cette, ces*	Ils marquent ce que l'on montre.
	adjectifs indéfinis	*nul, plusieurs, chaque, quelques, tout, divers...*	
	adjectifs numéraux cardinaux	*sept euros, dix ans, cinquante mètres...*	Ils indiquent le nombre.
	adjectifs numéraux ordinaux	*le troisième jour, la vingtième place...*	Ils indiquent le rang.
	adjectifs interrogatifs	*quel, quelle, quels, quelles*	Ils indiquent un questionnement.
	adjectifs exclamatifs	*quel plat !* *quelle vie !*	Ils traduisent l'étonnement.

classe	sous-classe	exemple	définition
ADJECTIFS QUALIFICATIFS Ils s'accordent avec les noms qu'ils caractérisent.		*un long trait noir* *La poire est mûre.*	Ils peuvent être placés avant ou après le nom ; ils sont parfois séparés du nom.
	participes passés employés comme adjectifs	*un animal blessé*	
	participes présents employés comme adjectifs	*des nageurs débutants*	

classe	sous-classe	exemple	définition
VERBES Ils se conjuguent.	auxiliaires	*avoir, être*	Ils servent à conjuguer les autres verbes aux temps composés.
	1er groupe	*monter, sauter, crier...* (**sauf** *aller*)	infinitif en -er
	2e groupe	*finir, grandir...*	infinitif en -ir (-issant)
	3e groupe	*prendre, courir, savoir...*	tous les autres verbes

Aide-mémoire

Les mots invariables

classe	sous-classe		exemple	définition
ADVERBES Ils modifient, précisent ou apportent une nuance à un verbe, un adjectif ou un autre adverbe. S'ils sont composés de plusieurs mots, ce sont des locutions adverbiales.	**adverbes de manière**		*comme, vite, bien, lourdement, rarement...*	
	adverbes interrogatifs		*combien, comment, où, pourquoi, quand...*	Ils introduisent une proposition interrogative, directe ou indirecte.
	autres adverbes	**lieu**	*autour, ici, loin, là, près de, derrière, dessus...*	
		temps	*alors, avant, demain, maintenant, aussitôt...*	
		quantité	*assez, beaucoup, très, peu, plus, trop...*	
		affirmation	*d'accord, aussi, certes, volontiers, vraiment...*	
		négation	*non, ne pas, ne guère, ne jamais, aucun...*	
		doute	*peut-être, par hasard...*	

classe	sous-classe	exemple	définition
PRÉPOSITIONS Si elles sont composées de plusieurs mots, ce sont des locutions prépositives.		*par, à, contre, sur, avec, dans, chez, pendant, à cause de, auprès de, en dehors de, par-delà, jusqu'à, le long de...*	Elles introduisent un complément avec lequel elles forment un groupe.

classe	sous-classe	exemple	définition
CONJONCTIONS	**de coordination**	mais, ou, et, donc, or, ni, car	Elles relient deux mots ou deux propositions de même nature et de même fonction.
	de subordination	que, quand, lorsque, si, parce que, quoique, dès que, après que, afin que, bien que...	Elles introduisent une proposition subordonnée conjonctive.

Les fonctions grammaticales

Les fonctions dans le groupe nominal

fonction	nature des mots exerçant la fonction	exemple
ÉPITHÈTE Elle apporte une information sur le nom. Elle peut être placée avant ou après le nom. Il peut y avoir plusieurs épithètes pour un même nom.	**adjectif qualificatif** **participe passé** **participe présent**	*un portrait fidèle* *un beau portrait* *un portrait inachevé* *un portrait ressemblant* *un grand portrait amusant*
COMPLÉMENT DU NOM Il apporte une information sur le nom. Il est souvent introduit par une préposition.	**nom ou groupe nominal** **pronom** **adverbe** **verbe à l'infinitif** **subordonnée relative**	*un fil de fer* *l'équipement de chacun* *un conte d'autrefois* *une corde à sauter* *un vêtement qui protège du froid*
APPOSITION Elle apporte une information sur le nom. Elle est souvent séparée du nom par une ou des virgules, mais peut aussi être introduite par la préposition *de*.	**adjectif qualificatif** **nom ou groupe nominal** **verbe à l'infinitif** **subordonnée relative**	*Séduisante, ta proposition m'intéresse.* *Le lion, roi des animaux, est plutôt paresseux !* *Gagner, c'est l'objectif de nombreux sportifs.* *Picasso, dont les tableaux valent une fortune, a longtemps vécu à Paris.* *Le métier de pompier fait rêver beaucoup d'enfants.*

Les fonctions dans la phrase

fonction	nature des mots exerçant la fonction	exemple
SUJET DU VERBE Il commande l'accord du verbe. Il peut être placé après le verbe (sujet inversé). Un verbe peut avoir plusieurs sujets. Un sujet peut se rapporter à plusieurs verbes.	**nom ou groupe nominal**	*Les poils du chat luisent.*
	pronom	*Vous préparez des gaufres.*
	verbe ou groupe verbal à l'infinitif	*S'abriter du soleil relève de la plus élémentaire prudence.*
	proposition subordonnée relative	*Qui veut noyer son chien l'accuse de la rage.*
	proposition subordonnée conjonctive	*Que tu refuses ne me surprendrait pas.*
COMPLÉMENT D'OBJET DIRECT Il indique ce sur quoi (ou sur qui) porte l'action exprimée par le verbe. Il est relié directement (sans préposition) au verbe. Généralement, il ne peut pas être déplacé ni supprimé.	**nom ou groupe nominal**	*Samir oublie ses clés. M. Pic sort la roue de secours.*
	pronom	*Marina attend quelqu'un. On la voit de loin.*
	verbe à l'infinitif	*Sais-tu nager ?*
	proposition subordonnée conjonctive	*Je vois qu'il fait beau.*
COMPLÉMENT D'OBJET INDIRECT Il indique ce sur quoi (ou sur qui) porte l'action exprimée par le verbe. Il est relié au verbe par une préposition. Généralement, il ne peut pas être déplacé ni supprimé.	**nom ou groupe nominal**	*Coralie s'inscrit au tournoi de tennis de table.*
	pronom	*Paul pense à nous.*
	verbe à l'infinitif	*Il prévoit de revenir bientôt.*
	proposition subordonnée conjonctive	*Il est urgent que tu révises tes leçons.*
COMPLÉMENT D'OBJET SECOND Si un verbe a deux compléments d'objet, le COS est celui qui est le moins important pour le sens. Il est introduit par une préposition.	**nom ou groupe nominal**	*Je rends ma copie au professeur.*
	pronom	*Je lui montre la direction à suivre.*

Les fonctions dans la phrase (suite)

fonction	nature des mots exerçant la fonction	exemple
COMPLÉMENTS CIRCONSTANCIELS Il en existe de différents types : • lieu • temps • manière • cause • conséquence	**nom ou groupe nominal**	*Nous partirons dans une heure.*
	groupe pronominal	*Mon ami reste près de moi.*
	adverbe	*L'athlète respire profondément.*
	verbe à l'infinitif	*Mario hésite avant d'acheter.*
	participe présent	*Régis entre en souriant.*
	proposition conjonctive	*Tu fais un détour parce qu'il y a des travaux.*
ATTRIBUT DU SUJET Il donne un renseignement sur le sujet par l'intermédiaire d'un verbe.	**nom ou groupe nominal**	*Cette plage est un vrai paradis.*
	pronom	*Cette place sera la mienne.*
	adjectif qualificatif	*Ta question est indiscrète.*
	verbe à l'infinitif	*Mon souhait fut de participer.*
	proposition conjonctive	*La réalité est que le temps nous est compté.*
COMPLÉMENT D'AGENT À la voix passive, il indique qui fait l'action exprimée par le verbe.	**nom ou groupe nominal**	*Les devoirs sont corrigés par le professeur.*
	pronom	*Ce livre sera connu de tous.*

En **1990**, une série de **rectifications orthographiques** ont été proposées par un comité d'experts (professeurs, linguistes, éditeurs de dictionnaires…). Ces recommandations ont été adoptées par le Conseil supérieur de la langue française et d'autres institutions de la francophonie (au Québec, en Belgique…) et approuvées par l'Académie française.

Cette « réforme » a pour but de corriger certaines anomalies et incohérences orthographiques pour faciliter l'apprentissage (et l'enseignement) du français. Elle concerne quelque 2 000 mots. **L'emploi de la nouvelle orthographe n'est pas imposé, mais il est recommandé**. Par exemple, il est désormais recommandé d'écrire *aigüe* pour *aiguë*, *une boite* pour *une boîte*, *nénufar* au lieu de *nénuphar*, ou *pingpong*, sans trait d'union.

Ces rectifications orthographiques entrent progressivement dans les ouvrages de référence (dictionnaires, grammaires…) et les manuels scolaires. Elles n'ont toutefois pas de caractère obligatoire et **aucune des deux graphies** (ancienne ou nouvelle) **ne peut être tenue pour fautive**.

LE PLURIEL DES NOMS COMPOSÉS

Les noms composés du type « verbe + nom » ou « préposition + nom » suivent la règle d'accord des mots simples :
*des abat-jour**s**, des chasse-neige**s**, des après-midi**s**, des sans-abri**s**.*
Au singulier, le second mot ne prend pas la marque du pluriel :
un compte-goutte.

LE TRAIT D'UNION

Dans un grand nombre de noms composés, le trait d'union est remplacé par une soudure ; on écrit ainsi *aut**o**stop* pour *auto-stop*, *bass**e**cour* pour *basse-cour*, *port**em**onnaie* pour *porte-monnaie*.

LES ACCENTS ET LE TRÉMA

– On met un **accent aigu** sur les *e* qui sont prononcés *é* :
*cam**é**raman, r**é**partie, r**é**volver.*

– On remplace l'accent aigu par un **accent grave** sur les *e* qui sont prononcés *è* :
*cr**è**merie, il c**è**dera, év**è**nement, r**è**glement.*

– L'**accent circonflexe** n'est plus obligatoire sur les lettres *i* et *u* :
*une bo**i**te, il conna**i**t, ao**u**t.*
On le maintient toutefois dans les terminaisons verbales du passé simple, du subjonctif :
*nous part**î**mes, qu'il f**î**t, qu'il f**û**t,* et en cas d'ambiguïté : *il cro**î**t* (verbe *croître*) ; *il a d**û** ; il est m**û**r ; je suis s**û**r.*

– Un **tréma** est désormais placé sur la voyelle prononcée :
*aig**ü**e, ambig**ü**ité, gage**ü**re…*

La nouvelle orthographe

LES DÉTERMINANTS NUMÉRAUX
Les déterminants numéraux cardinaux composés sont systématiquement reliés par des traits d'union :
vingt-et-un, deux-cents, trois-mille-cent-vingt-deux.

LES MOTS D'ORIGINE ÉTRANGÈRE
Les mots empruntés suivent les règles d'accentuation et d'accord des mots français, et les mots composés d'origine étrangère s'écrivent soudés :
édelweiss, pizzéria ; des matchs, des spaghettis ; baseball, hotdog, weekend.

LE PARTICIPE PASSÉ du verbe *laisser* suivi d'un infinitif devient invariable :
elle s'est laissé tomber ; elles se sont laissé faire.

LES VERBES en *-eler* ou *-eter* se conjuguent comme *peler* ou *acheter*. Les dérivés en *-ment* suivent l'orthographe des verbes correspondants :
j'amoncèle, un amoncèlement, il étiquètera.
Font exception à cette règle : ***appeler, jeter*** et leurs dérivés.

DIVERSES ANOMALIES SONT CORRIGÉES
– Les **mots en *-olle*** et les **verbes en *-otter*** s'écrivent avec une consonne simple :
corole, frisoter, greloter.
Exceptions : *la colle, folle* et *molle*.

– Les mots comme *joaillier, quincaillier, serpillière* perdent leur second *-i-* :
joailler, quincailler, serpillère...

– Les mots *douceâtre* et *asseoir* perdent le *-e-* : *douçâtre, assoir ;*
oignon s'écrit sans *-i-* : *ognon ; nénufar* remplace *nénuphar*.

– Les mots *boursouflé, chariot, combatif, imbécillité...* voient leur orthographe mise en conformité avec les mots de même famille : *boursoufflé* s'écrit comme *souffler ; charriot* comme *charrette ; combattif* comme *combattre ; imbécilité* comme *imbécile...*

Mais il demeure de nombreux cas où il n'est pas simple de savoir si l'orthographe d'un mot a été rectifiée. Par exemple, alors que l'on peut écrire *portemonnaie, portevoix* – sans trait d'union –, celui-ci est maintenu dans *porte-bonheur, porte-parole, porte-savon...*

Aussi est-il toujours indispensable, en cas de doute, de vérifier l'orthographe des mots dans le dictionnaire *Larousse Junior*.

Index

Index

Index